Wilhelm Busch / Das Gesamtwerk des Zeichners und Dichters

FÜNFTER BAND

Wilhelm Busch

Das Gesamtwerk

des Zeichners und Dichters

in sechs Bänden

FÜNFTER BAND

FACKELVERLAG

OLTEN · STUTTGART · SALZBURG

Herausgegeben und eingeleitet von Hugo Werner

STIPPSTÖRCHEN

für

ÄUGLEIN UND ÖHRCHEN

1881

Rotkehlchen

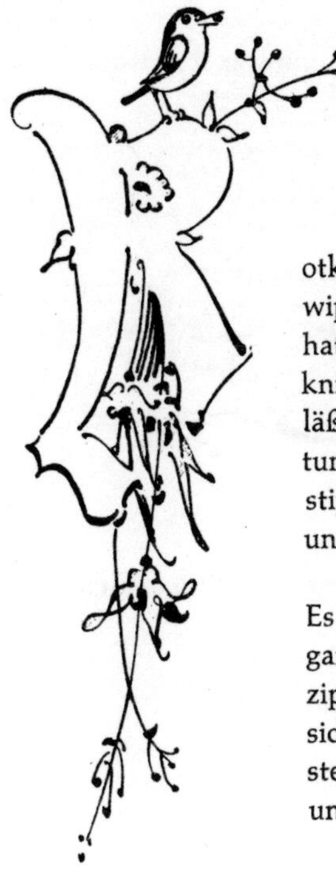

otkehlchen auf dem Zweige hupft,
wipp wipp!
hat sich ein Beerlein abgezupft,
knipp knipp!
läßt sich zum klaren Bach hernieder,
tunkt's Schnäblein ein und hebt es wieder,
stipp stipp, nipp nipp!
und schwingt sich wieder in den Flieder.

Es singt und piepst
ganz allerliebst,
zipp zipp, zipp zipp trili!
sich seine Abendmelodie,
steckt 's Köpfchen dann ins Federkleid
und schlummert bis zur Morgenzeit.

Das Häschen

Das Häschen saß im Kohl und fraß und war ihm wohl.

Nicht weit auf einem Rasen geht ganz gemütlich grasen
ein Lämmlein weiß und schön.
Da ist der böse Wolf gekommen
und hat das Lämmlein mitgenommen;

Das Häslein hat's gesehn.

Das Häschen sprang und lief zum Bauer hin und rief:
„O weh, o weh! He, Bauer, he!

Grad ist der böse Wolf gekommen und hat dein Lämmlein mitgenommen!"

Da nahm der Bauer Rüppel
den dicken, harten Knüppel,
sprach: „Danke, lieber Hase!"

und schlug ihn auf die Nase.
Dann spricht er mit Gekicher: „Mein Kohl ist sicher!"

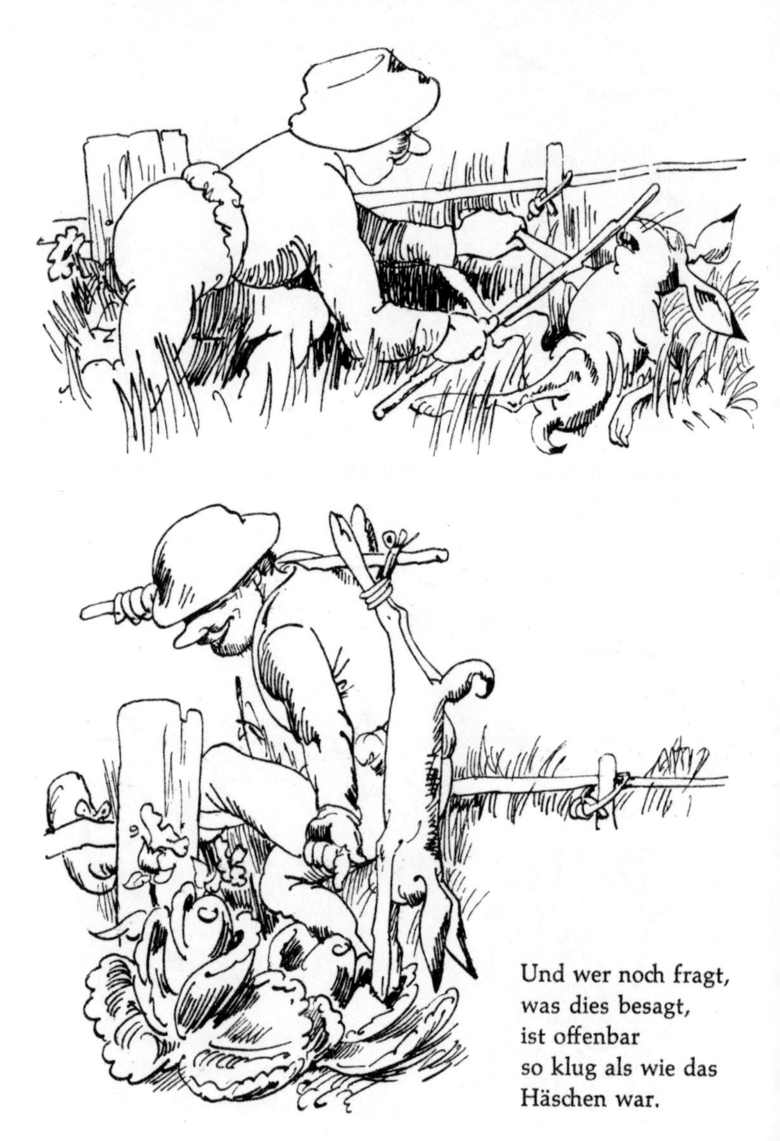

Und wer noch fragt,
was dies besagt,
ist offenbar
so klug als wie das
Häschen war.

Das brave Lenchen

Auf einem Schlosse fern im Holz
wohnt eine Frau gar reich und stolz.
In einem Hüttchen arm und klein
wohnt Lenchen und ihr Mütterlein.
Das Mütterlein ist schwach und krank
und ohne Geld und Speis und Trank.
Da denkt das Lenchen: „Ach ich lauf
um Hilfe nach dem Schloß hinauf!"
Es nimmt sich nichts wie einen Schnitt
vom allerletzten Brote mit.

Und wie es kommt bis an den Steg,
sitzt da ein armer Hund am Weg.
„Ach!" ruft der Hund – „mein Herr ist tot;
hätt' ich doch nur ein Stückchen Brot!"
„Hier!" – spricht das Lenchen – „hast du was!"
zieht's Brot hervor und gibt ihm das.
Und wie es weiter fortgerannt,

liegt da ein Fisch auf trocknem Sand.
„Ach!" – ruft der Fisch und zappelt sehr –
„wenn ich doch nur im Wasser wär!"

Gleich bückt das Lenchen sich danach
und trägt ihn wieder in den Bach.

Dann ist es weiter fortgerannt,
bis es die Frau im Schlosse fand. –

„Ach, liebe Frau, erbarmt euch mein,
ich hab ein krankes Mütterlein!"

„Fort!" – schreit die Frau – „nichts gibt es hier!"
und jagt das Lenchen vor die Tür.
Das Lenchen sieht vor Tränen kaum
und setzt sich stumm an einen Baum.

Und horch, im hohlen Baum erklingt
ein feines Stimmlein, welches singt:
„Mach auf, mach auf, ich bitt gar schön,
möcht gern die liebe Sonne sehn!"

Im Baum da ist ein Löchlein rund,
ist zugesteckt mit einem Spund.
Den zieht das Lenchen aus und spricht:
„So komm ans Licht, du armer Wicht!"
Sieh da, und eine Schlange schmiegt
sich aus dem Baum hervor und kriecht
und schlingt und schlängelt mit Gezisch
sich in das dichte Waldgebüsch,
und raschelt da herum und kam
und bracht ein Blümlein wundersam.

O Krankentrost, du Blümlein rot,
Herztulipan, hilf aus der Not!

Das Lenchen nimmt das Blümlein an
und eilt nach Haus, so schnell es kann.
Und wie es kommt bis über'n Steg,

tritt ihm ein Räuber in den Weg.
Dem armen Lenchen stockt das Blut,
läßt's Blümlein fallen in die Flut.

Da kommt der Hund und jagt zum Glück
den Räuber in den Wald zurück.

Und unser Fisch ist auch nicht faul;
er trägt die Blume in dem Maul.

Jetzt läuft das Lenchen schnell hinein
zum lieben, kranken Mütterlein,
legt's Blümlein ihr auf Herz und Mund,
macht's Mütterlein sogleich gesund;
heilt auch noch sonst viel kranke Leut
und ist aus aller Not befreit.

Der Räuber aber hat bei Nacht
die Frau im Schlosse totgemacht.

Der Sack und die Mäuse

Ein dicker Sack voll Weizen stand
auf einem Speicher an der Wand. –
Da kam das schlaue Volk der Mäuse
und pfiff ihn an in dieser Weise:

„O du da in der Ecke,
großmächtigster der Säcke!
Du bist ja der gescheiteste,
der dickste und der breiteste!
Respekt und Reverenz
vor Eurer Exzellenz!"

Mit innigem Behagen hört
der Sack, daß man ihn so verehrt.

Ein Mäuslein hat ihm unterdessen
ganz unbemerkt ein Loch gefressen.

Es rinnt das Korn in leisem Lauf.
Die Mäuse knuspern's emsig auf.

Schon wird er faltig, krumm
und matt.
Die Mäuse werden fett und glatt.

Zuletzt, man kennt ihn kaum noch mehr,
ist er kaputt und hohl und leer.

Jetzt ziehn sie ihn von seinem Thron;
Ein jedes Mäuslein spricht ihm Hohn;

und jedes, wie es geht, so spricht's:
„Empfehle mich, Herr Habenichts!"

Die beiden Schwestern

Es waren mal zwei Schwestern,
ich weiß es noch wie gestern.
Die eine namens Adelheid
war faul und voller Eitelkeit.
Die andre, die hieß Käthchen
und war ein gutes Mädchen.
Sie quält sich ab von früh bis spät,
wenn Adelheid spazieren geht.
Die Adelheid trank roten Wein,
dem Käthchen schenkt sie Wasser ein.

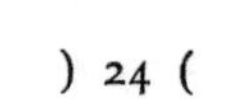

Einst war dem Käthchen anbefohlen,
im Walde dürres Holz zu holen.
Da saß an einem Wasser
ein Frosch, ein grüner, nasser;
der quakte ganz unsäglich,
gottsjämmerlich und kläglich:
„Erbarme dich, erbarme dich,
ach, küsse und umarme mich!"

Das Käthchen denkt: „Ich will's nur tun,
sonst kann der arme Frosch nicht ruhn!"
Der erste Kuß schmeckt recht abscheulich.
Der gräsiggrüne Frosch wird bläulich.

Der zweite schmeckt schon etwas besser;
der Frosch wird bunt und immer größer.
Beim dritten gibt es ein Getöse,
als ob man die Kanonen löse.
Ein hohes Schloß steigt aus dem Moor,
ein schöner Prinz steht vor dem Tor.

Er spricht: „Lieb Käthchen, du allein
sollst meine Herzprinzessin sein!"
Nun ist das Käthchen hochbeglückt,
kriegt Kleider schön mit Gold gestickt
und trinkt mit ihrem Prinzgemahl
aus einem goldenen Pokal.

Indessen ist die Adelheid
in ihrem neusten Sonntagskleid
herumspaziert an einem Weiher,
da saß ein Knabe mit der Leier.
Die Leier klang, der Knabe sang:
„Ich liebe dich, bin treu gesinnt;
komm, küsse mich, du hübsches Kind!"

Kaum küßt sie ihn, so wird er grün,
so wird er struppig, eiskalt und schuppig.

Und ist, o Schreck!
der alte, kalte Wasserneck.

„Ha!“ – lacht er – „diese hätten wir!!“
Und fährt bis auf den Grund mit ihr.

Da sitzt sie nun bei Wasserratzen,
muß Wassernickels Glatze kratzen,
trägt einen Rock von rauhen Binsen,
kriegt jeden Mittag Wasserlinsen;
und wenn sie etwas trinken muß,
ist Wasser da im Überfluß.

Hänschen Däumeling

Es lebt ein Schneider, leicht und dünn,
mit seiner Frau gemütlich hin.
Sie hatten auch ein Söhnchen schon,
sehr klein und zierlich von Person.
Er war nicht dicker wie die Pflaumen
und grad so lang als wie ein Daumen.
Drum, weil er so ein kleines Ding,
nennt man ihn Hänschen Däumeling.

Sein Mut jedoch ist ohne Tadel,
sein Degen spitz wie eine Nadel;
damit hat er an einer Wand
drei Fliegen durch und durch gerannt.

Drauf legt er sich im grünen Grase,
um auszuruhn, auf Bauch und Nase.

Ein Rabe, der spazierengeht,
hat ihn mit einem Aug' erspäht.
Er denkt: „Was ist das für ein Käfer?"

Und rupft und zupft den kleinen Schläfer.

Der dreht sich um und will den Frechen
in seine dürren Waden stechen.
„Kraha!" – lacht dieser – „wär nit übel!
Gottlob! ich habe dicke Stiebel!"

Graps packt er ihn, fliegt in die Höh
und weit, weit über einen See.
Die Eltern aber fragen bange:
„Wo bleibt denn Hänschen nur so lange?"

Sie suchen ihn in allen Taschen,
in Stiefeln, Hauben, Büchsen, Flaschen.
Sie rufen: „Herzchen!" rufen: „Liebchen!"
Allein es kommt und kommt kein Bübchen.

Der Rabe mit dem Hänschen flog
auf einen Baum, erschrecklich hoch.
Hier wünscht er ihm recht guten Morgen
und läßt ihn für sich selber sorgen.

Uhu! Im Astloch mit Geheule
hockt eine alte Schleiereule.

Und über ihm die dicke Spinne
hat auch nichts Gut's mit ihm im Sinne.

Schon sträubt die Eule sich und droht;
das Hänschen sticht die Spinne tot.

Schnell läßt er sich an ihrem Faden
vom Baum herunter ohne Schaden.
Juchhe! Hier unten in dem Moos
geht's lustig her und ist was los.

Drei muntre Käfer trinken Met
von allerbester Qualität.
Da heißt es: Prost! und: Was wir lieben!
Das Hänschen trinkt so viel wie sieben.
Der Kopf wird schwer, die Beine knicken,

bums! liegt das Hänschen auf dem Rücken.

Das gibt 'n Spaß! Die Käfer laufen
mit ihm zu einem Ameishaufen.

So was macht munter. O wie schnelle
verläßt er diese Wimmelstelle!

Er läuft und schlupft mit großer Freude
in ein sehr enges Wohngebäude.

„Nun ja!" – denkt sich der Jägersmann –
„jetzt zieh ich meine Handschuh an!"

Auweh! – Was war das für ein Stich!?
Der Jägersmann schreit jämmerlich.

Dem Hänschen wird's bedenklich doch;
er möchte in ein Mäuseloch.
„Ein Dieb, ein Dieb!" so schreit die Maus
und zieht ihn hinterwärts heraus.
Und plötzlich geht's: Kraha, Kraha!!
Der böse Rab ist wieder da.

Er faßt die Maus bei ihrem Schwänzchen
und flattert weg mit Maus und Hänschen.

„Die“ – ruft der Jäger – „muß ich haben!“
Bauz! – richtig trifft er Maus und Raben.
Und Rabe, Maus und Hänselein
plumbumsen in den See hinein.

Sofort erscheint die kleine Sylphe
Zephire, Königin im Schilfe,
reicht ihm die Hand und lispelt fein:
„Sprich, Prinz, willst du mein Liebster sein?"

„Schön Dank!" – spricht er – „o Königin!
Ich muß zu meinen Eltern hin!"
„So geh ich mit dir!" – haucht Zephire –
„mein Schifflein wartet vor der Türe!"

Und wie sie so dahingefahren
und mitten auf dem Wasser waren,
da kommt ein dicker Hecht und: schwapp!
schluckt er sie in den Bauch hinab.

Ein Fischer, welcher grade fischt,
hat aber gleich den Hecht erwischt.

Er überbringt ihn Hänschens Mutter,
die denkt: „Den braten wir in Butter!“

Ratsch! wird der Bauch ihm aufgeschnitten,
und sieh! wer kommt herausgeschritten?
Ei! unser Hänschen, und galant
führt er Zephiren an der Hand.
Das wurde mal ein hübsches Paar!
Sie lebten fröhlich manches Jahr.
Und Hänschen ward ein Damenschneider
und machte wunderschöne Kleider.
Und was er machte, saß.
Er stieg auf eine Leiter
und nahm genau das Maß.

Der weise Schuhu

Der Schuhu hörte stets mit Ruh,
wenn zwei sich disputierten, zu. –
Mal stritten sich der Storch und Rabe,
was Gott der Herr zuerst erschaffen habe,
ob erst den Vogel oder erst das Ei.
„Den Vogel!" – schrie der Storch – „das ist so klar
wie Brei!"

Der Rabe krächzt: „Das Ei, wobei ich bleibe;
wer's nicht begreift, hat kein Gehirn im Leibe!"
Da fingen an zu quaken
zwei Frösch in grünen Jacken.
Der eine quakt: „Der Storch hat recht!"
Der zweite quakt: „Der Rab hat recht!"

„Was?" – schrien die beiden Disputaxe –
„was ist das da für ein Gequakse??" –
Der Streit erlosch. –
Ein jeder nimmt sich seinen Frosch,
der schmeckt ihm gar nicht schlecht.

„Ja", – denkt der Schuhu – „so bin ich!
Der Weise schweigt und räuspert sich!"

DER FUCHS
DIE DRACHEN

Zwei lustige Sachen

1881

DER FUCHS

Die Bäurin hat ein Huhn
erſtochen
um Supp mit Huhn
davon zu kochen.
Der Bauer ſprach:
das giebt 'n Jux!
Mit dieſem Huhn fang
ich den Fuchs!

Vor's Loch der Mauer
stellt er schlau
die Schlinge heimlich
und genau

Grad denkt der Fuchs:
Was ist zu thun?
Ich stehle irgendwo
ein Huhn!

Und wie er da was
Gutes riecht
und durch das Loch der
Mauer kriecht –
Oh weh! der Schreck ist
nicht geringe –
Er hat das Huhn, ihn
hat die Schlinge. ~
Schon kommt in froher
Hast und Eile
der Bauer mit dem
langen Beile.

Indessen kroch und
schlüpfte flugs
durch's Loch zurück
der schlaue Fuchs.
Draus sitzt der Fuchs,
drin steht der Bauer,
dazwischen steht die
Gartenmauer.

Er steigt hinauf; er hat von oben
Zum wuchtgen Hieb das Beil erhoben.

Doch unbedacht, weil er
in Zorn,
zieht ihn der Hieb zu
sehr nach vorn.

Drin sitzt der Fuchs,
draus liegt der Bauer,
dazwischen steht die
Gartenmauer.

Er läuft nach innen
durch das Thor.
Das Ding ist wieder
wie zuvor.

Er sieht, es geht nicht
so allein;
drum fängt er heftig
an zu schrein:
Catrine, Catrine!
Komm 'raus, wir
haben ihne!!

Sie kommt begierig
angerannt,
die Ofengabel in der
Hand.
Jetzt, Meister Fuchs,
mußt du erliegen,
wenn sie dich in die
Mitte kriegen.

Schnell fährt er auf
die Bäurin los:
Zu langsam war der
Gabelstoß
Weh, aber, wenn sie
noch mal sticht!

Der Fuchs kehrt um und
wartet nicht. –
Der Bauer faßt mit aller
Kraft
das Beil und zielt ge=
wissenhaf

Trotzalledem zerhaut er
bloß
die Schlinge, und der
Fuchs ist los.
Der Fuchs beschleunigt
seinen Schritt
und nimmt auch noch das
Hühnchen mit.

Verdonnert sehen hinter=
her
Sowohl die Bäurin wie
auch Er.

Sie sahen, wie der Fuchs entrann;
dann sahen sie sich selber an.
Du dumme Gans! sprach er zu ihr.
Du Schafskopf! nennt sie ihn dafür.

DIE DRACHEN

Schon seit mehren Wochen
haben
drei intim bekannte Knaben –
Fritz, Franz, Conrad hießen sie –
mit Verstand Geduld u. Müh.
schöne Drachen sich gepappt
und zum Flug bereit gehabt,
so daß sie bis auf den Wind
mit der Sache fertig sind.

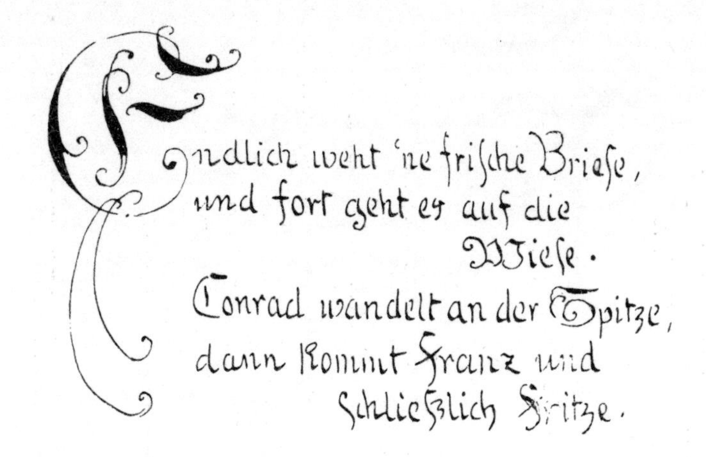
Endlich weht 'ne frische Briese,
und fort geht es auf die
Wiese.
Conrad wandelt an der Spitze,
dann kommt Franz und
schließlich Fritze.

Freund! - sprach plötzlich
Franz zu Fritzen -
Siehst du Zöpfels
Äpfel sitzen?"

und als Fritze dies
bejaht
schreitet man sofort zur
That.
Doch was Conrad anbetraf,
der geht weiter klug
und brav.

Trefflich gut ging die Geschichte.
Franz hat Zöpfel seine Früchte.
"Lirum larum! - dachte er -
Fritze hin und Fritze her!
Ich genieße was ich habe!" —
Damit ist der freche Knabe,
grad als wäre nichts passirt,
Äpfel essend fortmarschiert.
Saftig kann man's knirschen hören.
Soll das Fritzen nicht empören??

Mit dem Fuße und mit
Krachen,
gradesweges durch den
Drachen,
giebt er Franzen rücksichtslos
einen wirkungsvollen
Stoß.

Franz, der dieses Krumm
genommen,
ist sofort herum gekommen.

Und es hebt sich und es saust
seine zorngeballte Faust
durch den vorgeschützten
Drachen,
gleichfalls unter großzem
Krachen,
dergestalt in Fritzen's Nacken,
daß er meint, er muß
zerknacken.

Jetzt sucht jeder sich zu
decken,
und es wird so mit den
Pflöcken,
wo die Schnur herum
gewickelt,
emsig hin und her
geprickelt.

Franz zuerst durch
kühnes Wagen
trifft genau auf
Fritzens Magen.

Dafür sticht ihn
Fritz der flinke
in das Nasenloch
das linke.

So entspinnt sich auf die
Länge
ein direktes Handgemenge,
was zunächst und
augenscheinlich
für die Ohren äußerst
peinlich.

Dennoch wird der
Kampf zuletzt
noch am Boden
fortgesetzt.

Grad kommt Zöpfel wie gewöhnlich,
um sich wieder mal persönlich
und gewiß zu überzeugen,
daß sein Obst noch an den Zweigen.
Wer – ruft er – hat dies gethan??
Damit stockt sein Sprachorgan.

Ha! jetzt wird er
grausam heiter.
Er entdeckt die beiden
Streiter.

Fritze kriegt den ersten
Schlag,
weil er am bequemsten
lag.

Und der Franz war schon
vergnügt,
daß er siegt und oben liegt;
bis die Peitsche wieder pfiff
und auch ihn empfindlich
Kniff.

Gern entronnen nun
die beiden,
um das Weitre zu
vermeiden,
wären nicht die nöthigen
Beine
tief verwickelt in die Leine. –
Also folgt der Rest der Hiebe. –
Zöpfel thut's mit Lust
und Liebe.

Sorgsam sammelt hierauf
Zöpfel
seine hochgeschätzten Äpfel.
Einer nur ist angenagt,
was jedoch nicht viel
besagt;
und so kehrt er hocherfreut
heim in seine Häuslichkeit.

Aber ach, wie traurig stand's
um den Fritze und den Franz.
So viel ist gewiß für sie:
ihre Drachen steigen nie,
während Conrad seiner schon,
dieser Erdenwelt entflohn,
höher stets und höher steigt,
bis man vor Erstaunen
schweigt.

PLISCH UND PLUM

1882

Eine Pfeife in dem Munde,
Unterm Arm zwei junge Hunde

Trug der alte Kaspar Schlich. –
Rauchen kann er fürchterlich.
Doch, obschon die Pfeife glüht,
Oh, wie kalt ist sein Gemüt! –

„Wozu" – lauten seine Worte –
„Wozu nützt mir diese Sorte?

Macht sie mir vielleicht Pläsier?
Einfach nein! erwidr' ich mir.
Wenn mir aber was nicht lieb,
Weg damit! ist mein Prinzip."

An dem Teiche steht er still,
Weil er sie ertränken will.

Ängstlich strampeln beide kleinen
Quadrupeden mit den Beinen;
Denn die innre Stimme spricht:
Der Geschichte trau ich nicht! –

Hubs! fliegt einer schon im Bogen.

Plisch! da glitscht er in die Wogen.

Hubs! der zweite hinterher.

Plum!! damit verschwindet er.

„Abgemacht!" rief Kaspar Schlich,
Dampfte und entfernte sich.
Aber hier, wie überhaupt,
Kommt es anders, als man glaubt.

Paul und Peter, welche grade
Sich entblößt zu einem Bade,
Gaben stillverborgen acht,
Was der böse Schlich gemacht.

Hurtig und den Fröschen gleich
Hupfen beide in den Teich.

Jeder bringt in seiner Hand
Einen kleinen Hund ans Land.

„Plisch" – rief Paul – „so nenn ich meinen."
Plum – so nannte Peter seinen.

Und so tragen Paul und Peter
Ihre beiden kleinen Köter
Eilig, doch mit aller Schonung,
Hin zur elterlichen Wohnung.

Zweites Kapitel

Papa Fittig, treu und friedlich,
Mama Fittig, sehr gemütlich,
Sitzen, Arm in Arm geschmiegt,

Sorgenlos und stillvergnügt
Kurz vor ihrem Abendschmause
Noch ein wenig vor dem Hause,
Denn der Tag war ein gelinder,
Und erwarten ihre Kinder.

Sieh, da kommen alle zwei,
Plisch und Plum sind auch dabei. –
Dies scheint aber nichts für Fittig.

Heftig ruft er: „Na, da bitt ich!"
Doch Mama mit sanften Mienen:
„Fittig!!" – bat sie – „gönn' es ihnen!!"

Angerichtet stand die frische
Abendmilch schon auf dem Tische.

Freudig eilen sie ins Haus;
Plisch und Plum geschwind voraus.

Ach, da stehn sie ohne Scham
Mitten in dem süßen Rahm
Und bekunden ihr Behagen
Durch ein lautes Zungenschlagen.

Schlich, der durch das Fenster sah,
Ruft verwundert: „Ei, sieh da!

Das ist freilich ärgerlich,
Hehe! aber nicht für mich!!"

Drittes Kapitel

Paul und Peter, ungerührt,
Grad als wäre nichts passiert,
Ruhn in ihrem Schlafgemach;
Denn was fragen sie darnach.
Ein und aus durch ihre Nasen
Säuselt ein gelindes Blasen.

Plisch und Plum hingegen scheinen

Noch nicht recht mit sich im reinen

In betreff der Lagerstätte.

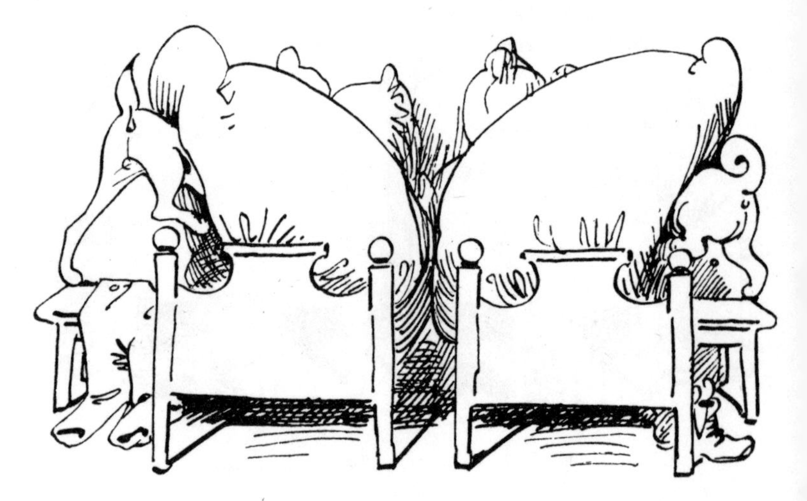

Schließlich gehn sie auch zu Bette.

Unser Plisch, gewohnterweise,
Dreht sich dreimal erst im Kreise.

Unser Plum dagegen zeigt
Sich zur Zärtlichkeit geneigt.

Denen, die der Ruhe pflegen,
Kommen manche ungelegen.

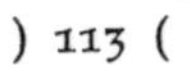

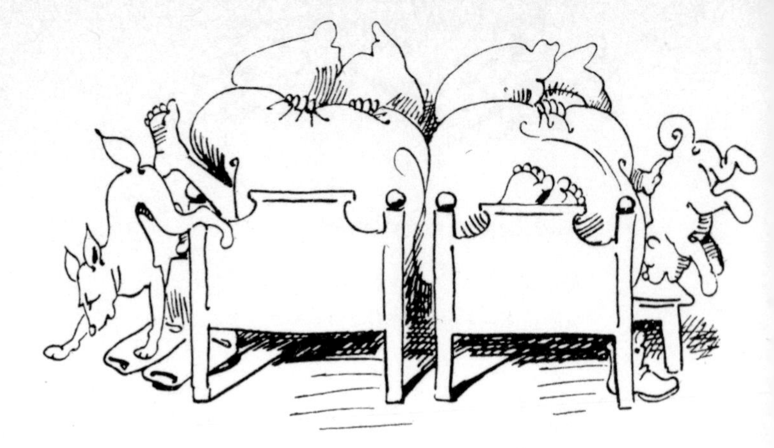

„Marsch!“ – Mit diesem barschen Wort
Stößt man sie nach außen fort. –

Kühle weckt die Tätigkeit;
Tätigkeit verkürzt die Zeit.

Sehr willkommen sind dazu
Hier die Hose, da der Schuh;
Welche, eh der Tag beginnt,

Auch bereits verändert sind.

Für den Vater, welch ein Schrecken,
Als er kam und wollte wecken.

Der Gedanke macht ihn blaß,
Wenn er fragt: Was kostet das?

Schon will er die Knaben strafen,
Welche tun, als ob sie schlafen.

Doch die Mutter fleht: „Ich bitt dich,
Sei nicht grausam, bester Fittig!!"
Diese Worte liebevoll
Schmelzen seinen Vatergroll.

Paul und Peter ist's egal.
Peter geht vorerst einmal
In zwei Schlapp-Pantoffeln los,
Paul in seiner Zackenhos'.

Plisch und Plum, weil ohne Sitte,
Kommen in die Hundehütte.

„Ist fatal!“ – bemerkte Schlich –
„Hehe! aber nicht für mich!“

Viertes Kapitel

Endlich fing im Drahtgehäuse
Sich die frechste aller Mäuse,

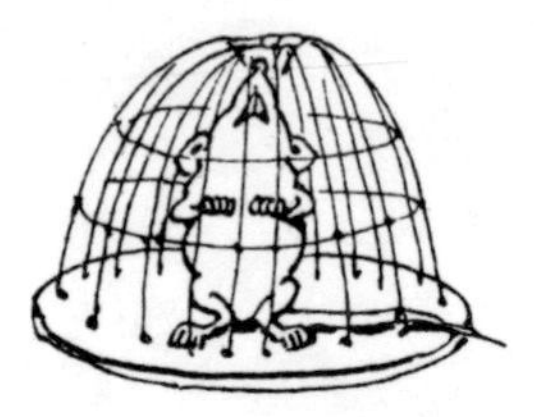

Welche Mama Fittig immer,
Bald im Keller, bald im Zimmer,
Und besonders bei der Nacht,
Fürchterlich nervös gemacht.

Dieses gibt für Plisch und Plum
Ein erwünschtes Gaudium;
Denn jetzt heißt es: „Mal heraus,
Alte, böse Knuspermaus!"
Husch! des Peters Hosenbein,

Denkt sie, soll ihr Schutz verleihn.

Plisch verfolgt sie in das Rohr;
Plum steht anderseits davor.

Knipp! in sein Geruchsorgan
Bohrt die Maus den Nagezahn.

Plisch will sie am Schwanze ziehn,

Knipp! am Ohre hat sie ihn.

Siehst du wohl, da läuft sie hin
In das Beet der Nachbarin.
Kritzekratze, wehe dir,
Du geliebte Blumenzier!

Madam Kümmel will soeben
Öl auf ihre Lampe geben.
Fast wär ihr das Herz geknickt,
Als sie in den Garten blickt.

Sie beflügelt ihren Schritt,
Und die Kanne bringt sie mit.

Zornig, aber mit Genuß
Gibt sie jedem einen Guß;
Erst dem Plisch und dann dem Plum.
Scharf ist das Petroleum;

Und die Wirkung, die es macht,
Hat Frau Kümmel nicht bedacht.

Aber was sich nun begibt,
Macht Frau Kümmel so betrübt,
Daß sie, wie von Wahn umfächelt,
Ihre Augen schließt und lächelt.

Mit dem Seufzerhauche: U!
Stößt ihr eine Ohnmacht zu.

Paul und Peter, frech und kühl,
Zeigen wenig Mitgefühl;
Fremder Leute Seelenschmerzen
Nehmen sie sich nicht zu Herzen.

„Ist fatal!" bemerkte Schlich –
„Hehe! aber nicht für mich."

Fünftes Kapitel

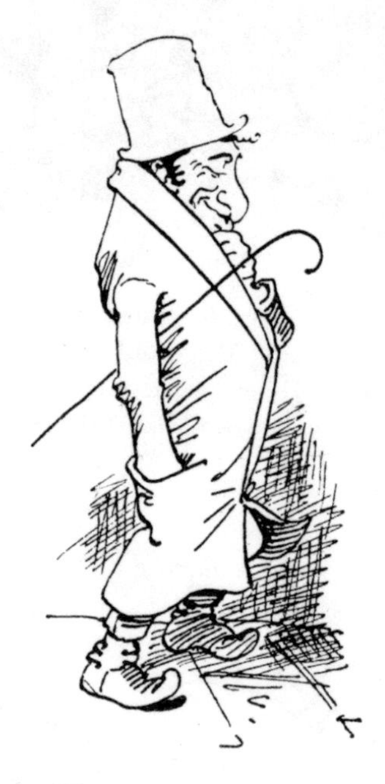

Kurz die Hose, lang der Rock,
Krumm die Nase und der Stock,
Augen schwarz und Seele grau,
Hut nach hinten, Miene schlau –
So ist Schmulchen Schievelbeiner.
(Schöner ist doch unsereiner!)

Er ist grad vor Fittigs Tür;
Rauwauwau! erschallt es hier. –
Kaum verhallt der rauhe Ton,

So erfolgt das Weitre schon.

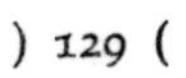

Und, wie schnell er sich auch dreht,
Ach, er fühlt, es ist zu spät;

Unterhalb des Rockelores
Geht sein ganze Sach kapores.

Soll ihm das noch mal passieren?
Nein, Vernunft soll triumphieren.

Schnupp! Er hat den Hut im Munde.
Staunend sehen es die Hunde,

Wie er so als Quadruped
Rückwärts nach der Türe geht,

Wo Frau Fittig nur mal eben
Sehen will, was sich begeben. –
Sanft, wie auf die Bank von Moos,

Setzt er sich in ihren Schoß.

Fittig eilte auch herbei. –
„Wai!" – rief Schmul – „ich bin entzwei!
Zahlt der Herr von Fittig nicht,
Werd ich klagen bei's Gericht!"

Er muß zahlen. – Und von je
Tat ihm das doch gar so weh.

Auf das Knabenpaar zurück
Wirft er einen scharfen Blick,
So, als ob er sagen will:
„Schämt euch nur, ich schweige still!“
Doch die kümmern sich nicht viel
Um des Vaters Mienenspiel. –

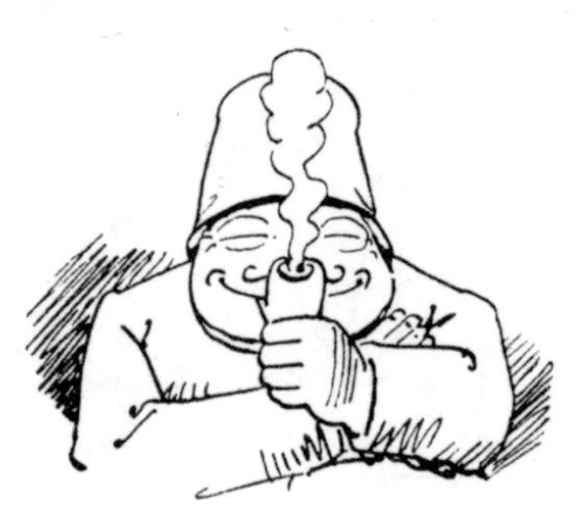

„Ist fatal!“ – bemerkte Schlich –
„Hehe! aber nicht für mich.“

Sechstes Kapitel

Plisch und Plum, wie leider klar,
Sind ein niederträchtig Paar;
Niederträchtig, aber einig,
Und in letzter Hinsicht, mein' ich,
Immerhin noch zu verehren;
Doch wie lange wird es währen?
Bösewicht mit Bösewicht –
Auf die Dauer geht es nicht.

Vis-à-vis im Sonnenschein
Saß ein Hündchen hübsch und klein,
Dieser Anblick ist für beide
Eine unverhoffte Freude.

Jeder möchte vorne stehen,
Um entzückt hinaufzuspähen.

Hat sich Plisch hervorgedrängt,
Fühlt der Plum sich tief gekränkt.

Drängt nach vorne sich der Plum,
Nimmt der Plisch die Sache krumm.

Schon erhebt sich dumpfes Grollen,
Füße scharren, Augen rollen,

Und der heiße Kampf beginnt;

Plum muß laufen, Plisch gewinnt.

Mama Fittig machte grad
Pfannenkuchen und Salat,
Das bekannte Leibgericht,
Was so sehr zum Herzen spricht.

Hurr! da kommt mit Ungestüm
Plum, und Plisch ist hinter ihm.

Schemel, Topf und Kuchenbrei
Mischt sich in die Beißerei. –
„Warte, Plisch! du Schwerenöter!"
Damit reichte ihm der Peter
Einen wohlgezielten Hieb. –
Das ist aber Paul nicht lieb.

„Warum schlägst du meinen Köter?"
Ruft der Paul und haut den Peter.

Dieser, auch nicht angefroren,
Klatscht dem Paul um seine Ohren.

Jetzt wird's aber desperat. –
Ach, der köstliche Salat
Dient den aufgeregten Geistern,
Sich damit zu überkleistern.

Papa Fittig kommt gesprungen
Mit dem Stocke hochgeschwungen.
Mama Fittig, voller Güte,
Daß sie dies Malheur verhüte:
„Bester Fittig" – ruft sie – „faß dich!"
Dabei ist sie etwas hastig.

Ihre Haube, zart umflort,
Wird von Fittigs Stock durchbohrt.
„Hehe!“ – lacht der böse Schlich –
„Wie ich sehe, hat man sich!“

Wer sich freut, wenn wer betrübt,
Macht sich meistens unbeliebt.

Lästig durch die große Hitze
Ist die Pfannenkuchenmütze.

„Höchst fatal!" – bemerkte Schlich –
„Aber diesmal auch für mich!"

Seht, da sitzen Plisch und Plum
Voll Verdruß und machen brumm!
Denn zwei Ketten, gar nicht lang,
Hemmen ihren Tatendrang.

Und auch Fittig hat Beschwerden.
„Dies“ – denkt er – „muß anders werden!
Tugend will ermuntert sein,
Bosheit kann man schon allein!“

Daher sitzen Paul und Peter
Jetzt vor Bokelmanns Katheder;
Und Magister Bokelmann
Hub, wie folgt, zu reden an:

„Geliebte Knaben, ich bin erfreut,
Daß ihr nunmehro gekommen seid,
Um, wie ich hoffe, mit allen Kräften
Augen und Ohren auf mich zu heften. –
Zum ersten: Lasset uns fleißig betreiben
Lesen, Kopf-, Tafelrechnen und Schreiben,
Alldieweil der Mensch durch sotane Künste
Zu Ehren gelanget und Brotgewinste.

Zum zweiten: Was würde das aber besagen
Ohne ein höfliches Wohlbetragen;
Denn wer nicht höflich nach allen Seiten,
Hat doch nur lauter Verdrießlichkeiten,
Darum zum Schlusse, – denn sehet, so bin ich –
Bitt' ich euch dringend, inständigst und innig,

Habt ihr beschlossen in eurem Gemüte,
Meiner Lehre zu folgen in aller Güte,
So reichet die Hände und blicket mich an
Und sprechet: Jawohl, Herr Bokelmann!"

Paul und Peter denken froh:
„Alter Junge, bist du so??"
Keine Antwort geben sie,
Sondern machen bloß hihi!
Worauf er, der leise pfiff,
Wiederum das Wort ergriff.

„Dieweil ihr denn gesonnen" – so spricht er –
„Euch zu verhärten als Bösewichter,
So bin ich gesonnen, euch dahingegen
Allhier mal über das Pult zu legen,
Um solchermaßen mit einigen Streichen
Die harten Gemüter euch zu erweichen."

Flugs hervor aus seinem Kleide,
Wie den Säbel aus der Scheide,

Zieht er seine harte, gute,
Schlanke, schwanke Haselrute,
Faßt mit kund'ger Hand im Nacken
Paul und Peter bei den Jacken

Und verklopft sie so vereint,
Bis es ihm genügend scheint.

„Nunmehr" – so sprach er in guter Ruh –
„Meine lieben Knaben, was sagt ihr dazu??

Seid ihr zufrieden und sind wir einig??"
„Jawohl, Herr Bokelmann!" riefen sie schleunig.

Dies ist Bokelmanns Manier.
Daß sie gut, das sehen wir.
Jeder sagte, jeder fand:

„Paul und Peter sind scharmant!!"
Aber auch für Plisch und Plum
Nahte sich das Studium
Und die nötige Dressur,
Ganz wie Bokelmann verfuhr.

Bald sind beide kunstgeübt,
Daher allgemein beliebt,

Und, wie das mit Recht geschieht,
Auf die Kunst folgt der Profit.

Schluss

Zugereist in diese Gegend,
Noch viel mehr als sehr vermögend,
In der Hand das Perspektiv,
Kam ein Mister namens Pief.
„Warum soll ich nicht beim Gehen" –
Sprach er – „in die Ferne sehen?
Schön ist es auch anderswo,
Und hier bin ich sowieso."

Hierbei aber stolpert er
In den Teich und sieht nichts mehr.

„Paul und Peter, meine Lieben,
Wo ist denn der Herr geblieben?"

Fragte Fittig, der mit ihnen
Hier spazierengeht im Grünen.

Doch wo der geblieben war,
Wird ihm ohne dieses klar.

Ohne Perspektiv und Hut
Steigt er ruhig aus der Flut.

„Allez, Plisch und Plum, apport!"
Tönte das Kommandowort.

Streng gewöhnt an das Parieren,
Tauchen sie und apportieren
Das Vermißte prompt und schnell.
Mister Pief sprach: „Weriwell!
Diese zwei gefallen mir!

Wollt ihr hundert Mark dafür?"
Drauf erwidert Papa Fittig
Ohne weiters: „Ei, da bitt' ich."

Er fühlt sich wie neugestärkt,
Als er soviel Geld bemerkt.

„Also, Plisch und Plum, ihr beiden,
Lebet wohl, wir müssen scheiden,
Ach, an dieser Stelle hier,
Wo vor einem Jahr wir vier
In so schmerzlich süßer Stunde
Uns vereint zum schönen Bunde;
Lebt vergnügt und ohne Not,
Beefsteak sei euer täglich Brot!"

Schlich, der auch herbeigekommen,
Hat dies alles wahrgenommen.
Fremdes Glück ist ihm zu schwer.
„Recht erfreulich!" murmelt er –
„Aber leider nicht für mich!!"

Plötzlich fühlt er einen Stich,
Kriegt vor Neid den Seelenkrampf,
Macht geschwind noch etwas Dampf,

Fällt ins Wasser, daß es zischt,

Und der Lebensdocht erlischt. –

Einst belebt von seinem Hauche,
Jetzt mit spärlich mattem Rauche
Glimmt die Pfeife noch so weiter
Und verzehrt die letzten Kräuter.
Noch ein Wölkchen blau und kraus –
Phütt! ist die Geschichte

BALDUIN BÄHLAMM

Der verhinderte Dichter

1883

Erstes Kapitel

Wie wohl ist dem, der dann und wann
Sich etwas Schönes dichten kann!

Der Mensch, durchtrieben und gescheit,
Bemerkte schon seit alter Zeit,
Daß ihm hinieden allerlei
Verdrießlich und zuwider sei.

Die Freude flieht auf allen Wegen;
Der Ärger kommt uns gern entgegen.
Gar mancher schleicht betrübt umher;
Sein Knopfloch ist so öd und leer.

Für manchen hat ein Mädchen Reiz,
Nur bleibt die Liebe seinerseits.
Doch gibt's noch mehr Verdrießlichkeiten.
Zum Beispiel läßt sich nicht bestreiten:

Die Sorge, wie man Nahrung findet,
Ist häufig nicht so unbegründet.
Kommt einer dann und fragt: Wie geht's?
Steht man gewöhnlich oder stets

Gewissermaßen peinlich da,
Indem man spricht: Nun, so lala!
Und nur der Heuchler lacht vergnüglich
Und gibt zur Antwort: Ei, vorzüglich!

Im Durchschnitt ist man kummervoll
Und weiß nicht, was man machen soll. –

Nicht so der Dichter. Kaum mißfällt
Ihm diese altgebackne Welt,
So knetet er aus weicher Kleie
Für sich privatim eine neue

Und zieht als freier Musensohn
In die Poetendimension,
Die fünfte, da die vierte jetzt
Von Geistern ohnehin besetzt.

Hier ist es luftig, duftig, schön,
Hier hat er nichts mehr auszustehn,
Hier aus dem mütterlichen Busen
Der ewig wohlgenährten Musen
Rinnt ihm der Stoff beständig neu
In seine saubre Molkerei.
Gleichwie die brave Bauernmutter,
Tagtäglich macht sie frische Butter.

Des Abends spät, des Morgens frühe
Zupft sie am Hinterleib der Kühe
Mit kunstgeübten Handgelenken
Und trägt, was kommt, zu kühlen Schränken,

Wo bald ihr Finger, leicht gekrümmt,
Den fetten Rahm, der oben schwimmt,
Beiseite schöpft und so in Masse
Vereint im hohen Butterfasse.

Jetzt mit durchlöchertem Pistille
Bedrängt sie die geschmeid'ge Fülle.
Es kullert, bullert, quietscht und quatscht,
Wird auf und nieder durchgematscht,

Bis das geplagte Element
Vor Angst in dick und dünn sich trennt.
Dies ist der Augenblick der Wonne.
Sie hebt das Dicke aus der Tonne,
Legt's in die Mulde, flach von Holz,

Durchknetet es und drückt und rollt's,
Und sieh, in frohen Händen hält se
Die wohlgeratne Butterwälze.

So auch der Dichter. – Stillbeglückt
Hat er sich was zurechtgedrückt
Und fühlt sich nun in jeder Richtung
Befriedigt durch die eigne Dichtung.

Doch guter Menschen Hauptbestreben
Ist, andern auch was abzugeben.
Der Dichter, dem sein Fabrikat
So viel Genuß bereitet hat,

Er sehnt sich sehr, er kann nicht ruhn,
Auch andern damit wohlzutun;
Und muß er sich auch recht bemühn,
Er sucht sich wen und findet ihn;

Und sträubt sich der vor solchen Freuden,
Er kann sein Glück mal nicht vermeiden.
Am Mittelknopfe seiner Weste
Hält ihn der Dichter dringend feste,

Führt ihn beiseit zum guten Zwecke
In eine lauschig stille Ecke,
Und schon erfolgt der Griff, der rasche,
Links in die warme Busentasche,

Und rauschend öffnen sich die Spalten
Des Manuskripts, die viel enthalten.
Die Lippe sprüht, das Auge leuchtet,
Des Lauschers Bart wird angefeuchtet,

Denn nah und warm, wie sanftes Flöten,
Ertönt die Stimme des Poeten. –
Vortrefflich! ruft des Dichters Freund;
Dasselbe, was der Dichter meint;

Und, was er sicher weiß, zu glauben
Darf sich doch jeder wohl erlauben.
Wie schön, wenn dann, was er erdacht,
Empfunden und zurechtgemacht,

Wenn seines Geistes Kunstprodukt,
Im Morgenblättchen abgedruckt,
Vom treuen Kolporteur geleitet,
Sich durch die ganze Stadt verbreitet.

Das Wasser kocht. – In jedem Hause,
Hervor aus stiller Schlummerklause,
Eilt neugestärkt und neugereinigt,
Froh grüßend, weil aufs neu vereinigt,

Hausvater, Mutter, Jüngling, Mädchen
Zum Frühkaffee mit frischen Brötchen.
Sie alle bitten nach der Reihe
Das Morgenblatt sich aus, das neue,

Und jeder stutzt und jeder spricht:
Was für ein reizendes Gedicht!
Durch die Lorgnetten, durch die Brillen,
Durch weit geöffnete Pupillen,

Erst in den Kopf, dann in das Herz,
Dann kreuz und quer und niederwärts
Fließt's und durchweicht das ganze Wesen
Von allen denen, die es lesen.

Nun lebt in Leib und Seel der Leute,
Umschlossen vom Bezirk der Häute
Und andern warmen Kleidungsstücken,
Der Dichter fort, um zu beglücken,

Bis daß er schließlich abgenützt,
Verklungen oder ausgeschwitzt.
Ein schönes Los! Indessen doch
Das allerschönste blüht ihm noch.

Denn Laura, seine süße Qual,
Sein Himmelstraum, sein Ideal,
Die glühend ihm entgegenfliegt,
Besiegt in seinen Armen liegt,

Sie flüstert schmachtend inniglich:
„Göttlicher Mensch, ich schätze dich!
Und daß du so mein Herz gewannst,
Macht bloß, weil du so dichten kannst!!"

Oh, wie beglückt ist doch ein Mann,
Wenn er Gedichte machen kann!

Zweites Kapitel

Ein guter Mensch, der Bählamm hieß
Und Schreiber war, durchschaute dies.

Nicht, daß es ihm an Nahrung fehlt.
Er hat ein Amt, er ist vermählt.
Und nicht bloß dieses ist und hat er;
Er ist bereits auch viermal Vater.
Und dennoch zwingt ihn tiefes Sehnen,
Sein Glück noch weiter auszudehnen.
Er möchte dichten, möchte singen,
Er möchte was zuwege bringen
Zur Freude sich und jedermannes;
Er fühlt, er muß und also kann es.

Der Muße froh, im Paletot,
Verläßt er abends sein Büro.

Er eilt zum Park, um hier im Freien
Den holden Musen sich zu weihen.

Natürlich einer, der wie er
Gefühlvoll und gedankenschwer,
Mag sich an weihevollen Plätzen
Beim Dichten gern auch niedersetzen.

Doch schon besetzt ist jeder Platz
Von Leuten mit und ohne Schatz.

Da lenkt er doch die Schritte lieber
Zum Keller, der nicht fern, hinüber.

Er wählt sich unter vielen Bänken
Die Bank, die angenehm zum Denken.

Zwar erst verwirrte seinen Sinn
Das Nahgefühl der Kellnerin;

Doch führt ihn bald ein tiefer Zug
Zu höherem Gedankenflug.
Schon brennt der Kopf, schon glüht der Sitz,
Schon sprüht ein heller Geistesblitz;

Schon will der Griffel ihn notieren;
Allein es ist nicht auszuführen,

Der Hut als Dämpfer der Ekstase,
Sinkt plötzlich tief auf Ohr und Nase.

Ein Freund, der viel Humor besaß,
Macht sich von hinten diesen Spaß.

Empört geht Bählamm fort nach Haus.
Der Freund trinkt seinen Maßkrug aus.

Zu Hause hängt er Hut und Rock
An den gewohnten Kleiderstock

Und schmückt in seinem Kabinett
Mit Joppe sich und Samtbarett,
Die, wie die Dichtung Vers und Reim,
Den Dichter zieren, der daheim.

Scharfsinnend geht er hin und wider,
Bald schaut er auf, bald schaut er nieder.

Jetzt steht er still und ruft: „Aha!"
Denn schon ist ein Gedanke da.

Schnell tritt Frau Bählamm in die Tür,
Sie hält in Händen ein Papier.

Sie ruft: „Geliebter Balduin!
Du mußt wohl mal den Beutel ziehn.
Siehst du die Rechnung breit und lang?
Der Schuster wartet auf dem Gang."

Besonders tief und voll Empörung
Fühlt man die pekuniäre Störung.

’s ist abgetan. – Das Haupt gesenkt,
Steht er schon wieder da und denkt.
Begeistert blickt er in die Höh:
„Willkommen, herrliche Idee!“

Auf springt die Tür. – An Bein und Arm

Geräuschvoll hängt der Kinderschwarm. –
„Ho!" – ruft der Franzel – „Kinder hört!
Jetzt spielen wir mal Droschkenpferd!
Papa ist Gaul und Kutscher ich."
„Ja!" – ruft die Gustel – „fahre mich!"
„Ich" – ruft der Fritz – „will hinten auf!
Hopp, hopp, du altes Pferdchen, lauf!"

„Hüh!" – ruft der kleine Balduin –
„Will er nicht ziehn, so hau ich ihn!" –

Wer kann bei so bewandten Dingen
Ein Dichterwerk zustande bringen? –

Nun meint man freilich, sei die Nacht,
Um nachzudenken, wie gemacht.
Doch oh! wie sehr kann man sich täuschen!
Es fehlt auch ihr nicht an Geräuschen.

Der Papa hat sich ausgestreckt,
Gewissenhaft sich zugedeckt!
Warm wird der Fuß, der Kopf denkt nach;
Da geht es: Bäh! – vielleicht nur schwach.
Doch dieses Bäh erweckt ein zweites,

Dann bäh aus jeder Kehle schreit es.
Aus Mamas Mund ein scharfes Zischen,
Bedrohlich schwellend, tönt dazwischen,
Und Papas Baß, der grad noch fehlte,
Verstärkt zuletzt das Tongemälde.

Wie peinlich dies, ach, das ermißt
Nur der, der selber Vater ist.

Ein großer Geist, wie Bählamm seiner,
Ist nicht so ratlos wie ein kleiner.
Er sieht, ihm mangelt bloß im Grunde
Der stille Ort, die stille Stunde,
Um das, was nötig ist zum Dichten,
Gemächlich einsam zu verrichten;
Und allsogleich spricht der Verstand:
Verlaß die Stadt und geh aufs Land!
Wo Biederkeit noch nicht veraltet,
Wo Ruhe herrscht und Friede waltet! –

Leicht reisefertig ist zumeist
Ein Mensch, wenn er als Dichter reist.

Die kleine Tasche, buntgestickt,
Ist schnell gefüllt und zugedrückt.
Ein Hut von Stroh als Sommerzier,
Ein Dichterkragen von Papier,
Das himmelblaue Flattertuch,
Der Feldstuhl, das Notizenbuch,
Ein Bleistift Nr. 4 und endlich
Das Paraplü sind selbstverständlich.

Zum Bahnhof führt ihn die Familie

Hier spricht er: „Lebe wohl, Cäcilie!
Ich bring euch auch was Schönes mit!"
Dann schwingt er sich mit leichtem Schritt,
Damit er nicht die Zeit verpasse,
In die bekannte Dichterklasse.
Der Pfiff ertönt, die Glocke schlug.

Fort schlängelt sich der Bummelzug.

Vorüber schnell und schneller tanzen,
Durch Draht verknüpft zu einem Ganzen,
Die schwesterlich verwandten, langen,
Zahlreichen Telegraphenstangen.
Der Wald, die Wiesen, das Gefilde
Als unstet wirbelnde Gebilde,
Sind lästig den verwirrten Sinnen.
Gern richtet sich der Blick nach innen.
Ein leichtes Rütteln, sanftes Schwanken
Erweckt und sammelt die Gedanken.
Manch Bild, was sich versteckt vielleicht,
Wird angeregt und aufgescheucht.

Bald fühlt auch Bählamm süßbeklommen
Die herrlichsten Gedanken kommen. –

Ein langer Pfiff. – Da hält er schon
Auf der ersehnten Bahnstation. –

Ein wohlgenährter Passagier

In Nagelschuhen wartet hier.

Er zwängt sich hastig ins Coupé.

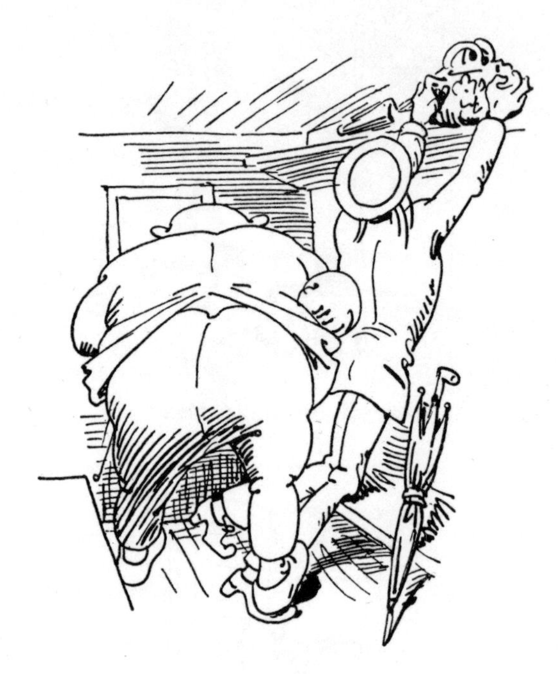

Pardon! – Er tritt auf Bählamms Zeh. –

Des Lebens Freuden sind vergänglich;
Das Hühnerauge bleibt empfänglich.

Wie dies sich äußert, ist bekannt.

Krumm wird das Bein und krumm die Hand;
Die Augenlöcher schließen sich,
Das linke ganz absonderlich;
Dagegen öffnet sich der Mund,
Als wollt' er flöten, spitz und rund.

Zwar hilft so eine Angstgebärde
Nicht viel zur Lindrung der Beschwerde;
Doch ist sie nötig jederzeit
Zu des Beschauers Heiterkeit.

Wie lieb erscheint, wie freundlich winkt
Dem Dichter, der noch etwas hinkt,

Des Dörfleins anspruchsloses Bild,
In schlichten Sommerstaub gehüllt.

Hier reitet Jörg, der kleine Knabe,
Auf seinem langen Hakenstabe,

Die Hahnenfeder auf der Mütze,
Kindlich naiv durch eine Pfütze.

Dort mit dem kurzen Schmurgelpfeifchen
Auf seinem trauten Düngerhäufchen
Steht Krischan Bopp und füllt die Luft
Mit seines Krautes Schmeichelduft.

Er blickt nach Rike Mistelfink,
Ein Mädel sauber, stramm und flink.
Sie reinigt grad den Ziegenstall;
Und Friede waltet überall.

Sofort im ländlichen Logis
Geht Bählamm an die Poesie.
Er schwelgt im Sonnenuntergang,

Er lauscht dem Herdenglockenklang,
Und ahnungsfroh empfindet er's:
Glück auf! Jetzt kommt der erste Vers!

Klirrbatsch! – da liegt der Blumentopf.
Es zeigt sich ein gehörnter Kopf,
Das Maulwerk auf, die Augen zu,
Und plärrt posaunenhaft: Ramuh!!

Erschüttert gehen Vers und Reime
Mitsamt dem Kunstwerk aus dem Leime.
Das tut die Macht der rauhen Töne.
Die Sängerin verläßt die Szene.

Fünftes Kapitel

Die Nacht verstrich. Der Morgen schummert.
Hat unser Bählamm süß geschlummert?
Kennst du das Tierlein leicht beschwingt,
Was, um die Nase schwebend, singt?
Kennst du die andern, die nicht fliegen,
Die leicht zu Fuß und schwer zu kriegen?
Betrachte Bählamm sein Gesicht,
Du weißt Bescheid, drum frage nicht.

Hier auf dem Dreifuß unterm Flieder
Sitzt er bereits und dichtet wieder.

Der Knabe Jörg, in froher Laune,
Bemerkt ihn durch ein Loch im Zaune,

Er zieht die Nadel aus der Mütze,
Durchbohrt damit die Hakenspitze,

Und hat verschmitzt auch schon begonnen
Den kleinen Scherz, den er ersonnen.

Der Dichter greift sich ins Genicke.
Mal wieder, denkt er, eine Mücke.

Er nimmt die Hand in Augenschein.
Es mußte doch wohl keine sein.

Kaum hat er dies als wahr befunden,
So kommt ein Stich direkt von unten.

Um diese Gegend zu beschützen,
Kann man das Sacktuch auch benützen.

Insoweit wäre alles gut.
O weh! Wohin entschwebt der Hut?

„Ein leichtes Kräusellüftchen!" rief er,
Holt seinen Hut und setzt ihn tiefer.
Ganz arglos will er sich soeben
Zurück auf seinen Sitz begeben.
Doch die gewohnte Stütze mangelt.

Der Dreifuß wird hinweggeangelt.
Anstatt in den bequemen Sessel,
Setzt er sich in die scharfe Nessel.

Und hell durchblitzt ihn der Gedanke:
Es sitzt wer hinter dieser Planke!

Sehr gut in solchen Fällen ist
Bedachtsamkeit, gepaart mit List.

Verlockend und zugleich gespannt
Setzt er sich wieder vor die Wand.

Aha! Und jetzt wird zugefaßt,
Und trefflich hat er's abgepaßt;

Denn grad im Zentrum bohrte sich
Durch seine Hand der Nadelstich.

Natürlich macht ihn das nervos.
Der Jörg entfernt sich sorgenlos.

In freier Luft, in frischem Grün,
Da, wo die bunten Blümlein blühn,
In Wiesen, Wäldern, auf der Heide,
Entfernt von jedem Wohngebäude,
Auf rein botanischem Gebiet
Weilt jeder gern, der voll Gemüt.

Hier legt sich Bählamm auf den Rücken
Und fühlt es tief und mit Entzücken,
Nachdem er Bein und Blick erhoben:
Groß ist die Welt, besonders oben!

Wie klein dagegen und beschränkt
Zeigt sich der Ohrwurm, wenn er denkt.

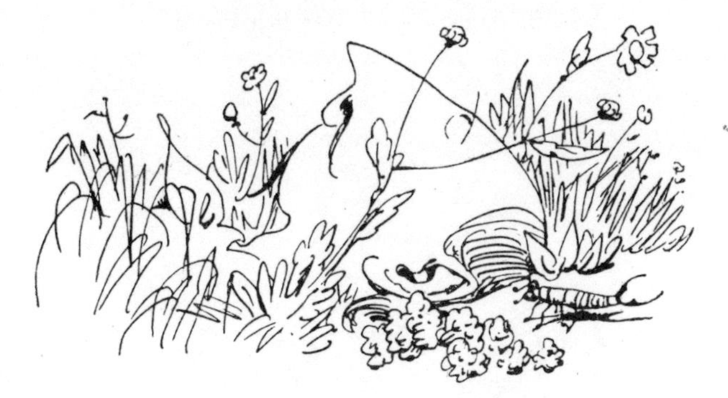

Engherzig schleicht er durch das Moos,
Beseelt von dem Gedanken bloß,
Wo's dunkel sei und eng und hohl,
Denn da nur ist ihm pudelwohl.

Grad wie er wünscht und sehr gelegen
Blinkt ihm des Dichters Ohr entgegen.

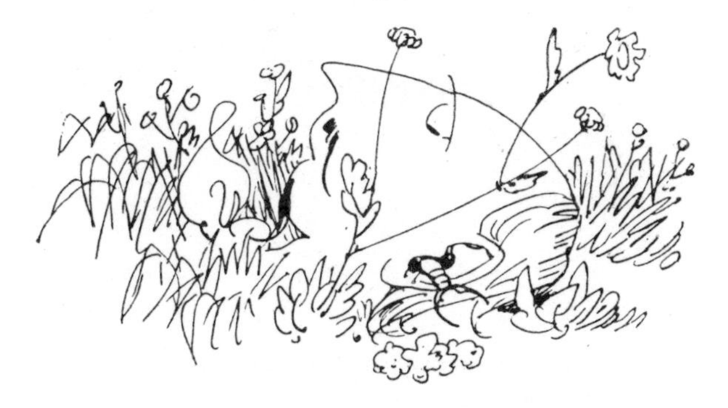

In diesen wohlerwärmten Räumen,
So denkt er, kann ich selig träumen.

Doch wenn er glaubt, daß ihm hienieden
Noch weitre Wirksamkeit beschieden,
So irrt er sich. – Ein Winkelzug
Von Bählamms Bein, der fest genug,

Zerstört die Form, d. h. so ziemlich,
Die diesem Wurme eigentümlich,
Und seinem Dasein als Subjekt
Ist vorderhand ein Ziel gesteckt.

Sogleich und mit gewisser Schnelle
Vertauscht der Dichter diese Stelle
Für eine andre, mehr erhöht,
Allwo ein Bäumlein winkend steht.

Ein Vöglein zwitschert in den Zweigen;
Dem Dichter wird so schwül und eigen.
Die Stirn umsäuseln laue Lüfte;
Es zuckt der Geist im Faberstifte.

Pitschkleck! – Ein Fleck. Ein jäher Schreck. –
Erleichtert fliegt das Vöglein weg.

Indessen auch der andre Sänger
Verweilt an diesem Ort nicht länger.

Den Himmel, der noch eben blau,
Umwölkt ein ahnungsvolles Grau.

Vor Regen schützt die Scheidewand
Des Schirmes, wenn er aufgespannt.

Verquer durch Regen und Gestrüppe
Kommt Krischan mit der scharfen Hippe.
Vom Regen ist der Blick umflort,

Und richtig wird der Schirm durchbohrt.

Betrübend ist und wenig nütze
Das Parapluie mit einem Schlitze;

Doch ist noch Glück bei jedem Hieb,
Wobei der Kopf heroben blieb.
Auch braucht man, läßt der Regen nach,
Ja sowieso kein Regendach.

Und hier, begleitet von der Ziege,
Kommt Rike über eine Stiege;

Und Bählamm, wie die Dichter sind,
Will diesem anmutsvollen Kind

Als Huldigung mit Scherz und Necken
Ein Sträußlein an den Busen stecken.

Ein Prall – ein Schall – dicht am Gesicht –

Verloren ist das Gleichgewicht.

So töricht ist der Mensch. – Er stutzt,
Schaut dämisch drein und ist verdutzt,

Anstatt sich erst mal solche Sachen
In aller Ruhe klarzumachen. –

Hier strotzt die Backe voller Saft;
Da hängt die Hand, gefüllt mit Kraft.
Die Kraft, infolge von Erregung,
Verwandelt sich in Schwungbewegung.
Bewegung, die in schnellem Blitze
Zur Backe eilt, wird hier zur Hitze.
Die Hitze aber, durch Entzündung
Der Nerven, brennt als Schmerzempfindung
Bis in den tiefsten Seelenkern,
Und dies Gefühl hat keiner gern.

Ohrfeige heißt man diese Handlung,
Der Forscher nennt es Kraftverwandlung.

Der Mond. Dies Wort so ahnungsreich,
So treffend, weil es rund und weich –
Wer wäre wohl so kaltbedächtig,
So herzlos, hart und niederträchtig,
Daß es ihm nicht, wenn er es liest,
Sanftschauernd durch die Seele fließt?

Das Dörflein ruht im Mondenschimmer,
Die Bauern schnarchen fest wie immer;
Es ruh'n die Ochsen und die Stuten,
Und nur der Wächter muß noch tuten,
Weil ihn sein Amt dazu verpflichtet,

Der Dichter aber schwärmt und dichtet.

Was ist da drüben für ein Wink?
Ist das nicht Rike Mistelfink?

Ja, wie es scheint, hat sie bereut
Die rücksichtslose Sprödigkeit.
Der Dichter fühlt sein Herz erweichen.
Er folgt dem liebevollen Zeichen.

Er drängt sich, nicht ganz ohne Qual,
In ein beschränktes Stallokal.

Mit einem Mäh! (mit einem langen)

Sieht er sich unverhofft empfangen.
Doch nur ein kurzes Meck begleitet

Den Seitenstich, der Schmerz bereitet.

Ein Stoß grad in die Magengegend

Ist aber auch sehr schmerzerregend.

Daß selbst ein Korb in solcher Lage
Erwünscht erscheint, ist keine Frage.

Bedeckung findet sich gar leicht;
Es fragt sich nur, wie weit sie reicht. –

Und grade kommt die Rike hier,
Der Krischan emsig hinter ihr;

Sie mit vergnügtem Mienenspiel,
Er mit dem langen Besenstiel.

Er schiebt ihn durch des Korbes Henkel
Und zwischen Bählamm seine Schenkel.

Nachdem er sicher eingesackt,
Wird er gelupft und aufgepackt.

Er strampelt sehr, denn schwer im Sinn
Liegt ihm die Frage: Ach, wohin?

Ein Wasser, mondbeglänzt und kühl,
Ist das erstrebte Reiseziel,

Und angelangt bei diesem Punkt
Wird fleißig auf und ab getunkt;

Worauf, nachdem der Korb geleert,
Das Liebespaar nach Hause kehrt.

Es tut nicht gut, wenn man im Bad,
Und nur die Füße draußen hat. –

Auch Bählamm hat's nicht wohlgetan.
Es zog ihm in den Backenzahn. –

Das Zahnweh, subjektiv genommen,
Ist ohne Zweifel unwillkommen;
Doch hat's die gute Eigenschaft,
Daß sich dabei die Lebenskraft,
Die man nach außen oft verschwendet,
Auf einen Punkt nach innen wendet
Und hier energisch konzentriert.
Kaum wird der erste Stich verspürt,
Kaum fühlt man das bekannte Bohren,
Das Rucken, Zucken und Rumoren –
Und aus ist's mit der Weltgeschichte,

Vergessen sind die Kursberichte,
Die Steuern und das Einmaleins.
Kurz, jede Form gewohnten Seins,
Die sonst real erscheint und wichtig,
Wird plötzlich wesenlos und nichtig.
Ja, selbst die alte Liebe rostet –
Man weiß nicht, was die Butter kostet –
Denn einzig in der engen Höhle
Des Backenzahnes weilt die Seele,
Und unter Toben und Gesaus
Reift der Entschluß: Er muß heraus!! –

Noch eh' der neue Tag erschien,
War Bählamm auch so weit gediehn.

Er steht und läutet äußerst schnelle
An Doktor Schmurzel seiner Schelle.

Der Doktor wird von diesem Lärme
Emporgeschreckt aus seiner Wärme.

Indessen kränkt ihn das nicht weiter;
Ein Unglück stimmt ihn immer heiter.

Er ruft: „Seid mir gegrüßt, mein Lieber!

Lehnt Euch gefälligst hintenüber!
Gleich kennen wir den Fall genauer!“

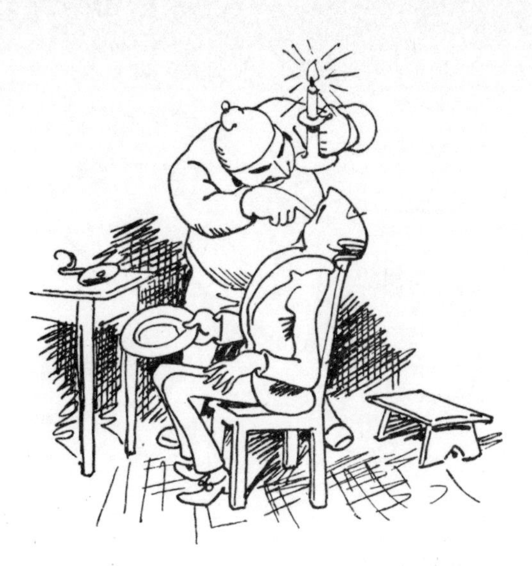

(Der Finger schmeckt ein wenig sauer.)

„Nun stützt das Haupt auf diese Lehne

Und denkt derweil an alles Schöne!

Holupp!!
Wie ist es? Habt Ihr nichts gespürt?"
„Ich glaub, es hat sich was gerührt!"

„Da dies der Fall, so gratulier ich!
Die Sache ist nicht weiter schwierig!

Hol – – – upp!!!"
Vergebens ist die Kraftentfaltung;
Der Zahn verharrt in seiner Haltung.

„Hab's mir gedacht!" sprach Doktor Schmurzel,

„Das Hindernis liegt in der Wurzel.
Ich bitte bloß um drei Mark zehn!

Recht gute Nacht! Auf Wiedersehn!"

Neuntes Kapitel

Dem hohen lyrischen Poeten
Ist tiefer Schmerz gewiß vonnöten;
Doch schwerlich, ach, befördert je
Das ganz gewöhnliche Wehweh,
Wie Bählamm seines zum Exempel,
Den Dichter in den Ruhmestempel.
Die Backe schwillt. – Die Träne quillt.
Ein Tuch umrahmt das Jammerbild.

Verhaßt ist ihm die Ländlichkeit
Mit Riken ihrer Schändlichkeit,
Mit Doktor Schmurzels Chirurgie,
Mit Bäumen, Kräutern, Mensch und Vieh,
Und schmerzlich dringend mahnt die Backe:
Oh, kehre heim! Doch vorher packe! –

Gern möcht er still von dannen scheiden,
Gern jede Ovation vermeiden,
Allein ihm bleibt bei seiner Fahrt
Ein Lebewohl nicht ganz erspart.

Meckmeck! so schallt's aus jener Ecke;
Meckmeck! ruft einer durch die Hecke,

Meckmeck! so schmettert's in der Näh,
Und Rikens Ziege macht mähhäh! –

Da wundert sich wohl mancher sehr,
Wie's möglich sei, daß ein Malheur
So schleunige Verbreitung finde.
Der Weise schweigt. Er kennt die Gründe. –

Als Bählamm sein Coupé erreicht,
Wird ihm verhältnismäßig leicht.

'ne Frau, 'n Kind und eine Tasche,
Worin die Gummistöpselflasche,
Sind unsers Reisenden Begleiter.
Der Säugling zeigt sich äußerst heiter.
Er strebt und webt mit Händ und Füßen,
Er läßt sein Mäulchen überfließen;
Er ist so süß, daß fast mit Recht
Ein Junggesell ihn küssen möcht.

O weh! die Fröhlichkeit entweicht.
Wohlmeinend wird ihm dargereicht
Das Glas, woraus er sich ernährt;

Er lehnt es ab; er ist empört;
Und penetrant, gleich der Trompete,
Klagt er in Tönen seine Nöte. –
Die Mutter seufzt. Der Trank ist kalt.
Wohl uns! Hier hat man Aufenthalt.

„Ach!" – bat sie – „halten S' ihn mal eben,
Ich muß ihm etwas Warmes geben!"

Sie eilt hinaus ins Restaurant.
Der Zug hält drei Minuten lang.

Einsteigen! Fertig! – Pfüt! – Und los!
Mit seinem Säugling auf dem Schoß,
Mit dicker Backe, wehem Zahn,
Rollt er dahin per Eisenbahn
Der Heimat zu und trifft um neun
Präzise auf dem Bahnhof ein. –
Der Säugling, des Gesanges müde,
Ruht aus von seinem Klageliede,
Umhüllt mit einer warmen Windel,
Auf Bählamms Arm als stilles Bündel.
Trotzdem hat Bählamm das Bestreben,
Ihn möglichst baldig abzugeben.

Der Schaffner, ohne Mitgefühl,
Bedankt sich höflich, aber kühl.

Desgleichen auch der Bahnverwalter;

Desgleichen auch der Mann am Schalter.

So muß er sich denn wohl bequemen,
Sein Bündel mit nach Haus zu nehmen.

„Der Papa kommt!" so rufen hier
Die frohen Kinder alle vier.

„Und" – sprach die Mutter – „gebt mal acht!
Er hat was Schönes mitgebracht!"

Jedoch bei näherer Belehrung,
Wie wenig schätzt sie die Bescherung.

„Oh!" ruft sie – „Aber Balduin!"
Dann wird's ihr vor den Augen grün.

Zum Glück in diesem Ungemach
Kommt bald des Knaben Mutter nach.

Zwar ist die Flasche kalt wie nie,
Doch weil's pressiert, so nimmt er sie. –
Der Abschied war nicht sehr beschwerlich,
Was auch bei Bählamm sehr erklärlich;

Denn gerne gibt man aus der Hand
Den Säugling, der nicht stammverwandt.

Sofort legt Bählamm sich zur Ruh.
Die Hand der Gattin deckt ihn zu.
Der Backe Schwulst verdünnert sich;
Sanft naht der Schlaf, der Schmerz entwich,

Und vor dem innern Seelenraum
Erscheint ein lockend süßer Traum. –

Ihm war als ob, ihm war als wie,
So unaussprechlich wohl wie nie. –
Hernieder durch das Dachgebälke,
Auf rosenrotem Duftgewölke,
Schwebt eine reizend wundersame
In Weiß gehüllte Flügeldame,
Die winkt und lächelt wie zum Zeichen,
Als sollt' er ihr die Hände reichen;
Und selbstverständlich wunderbar
Erwächst auch ihm ein Flügelpaar;

Und selig will er sich erheben,
Um mit der Dame fortzuschweben.

Doch ach! Wie schaudert er zusammen!
Denn wie mit tauend Kilogrammen

Hängt es sich plötzlich an die Glieder,
Hemmt das entfaltete Gefieder
Und hindert, daß er weiterfliege.
Hohnlächelnd meckert eine Ziege.
Die himmlische Gestalt verchwindet,
Und nur das eine ist begründet,
Frau Bählamm ruft, als er erwacht:

„Heraus, mein Schatz! Es ist schon acht!"

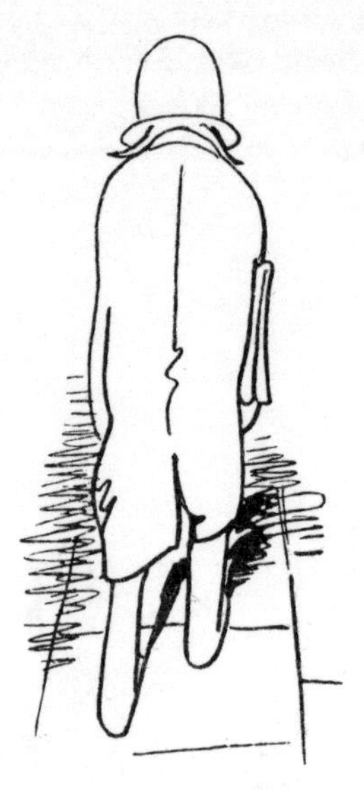

Um neune wandelt Bählamm so
Wie ehedem auf sein Büro. –
So steht zum Schluß am rechten Platz
Der unumstößlich wahre Satz:
Die Schwierigkeit ist immer klein,
Man muß nur nicht verhindert sein.

MALER KLECKSEL

1884

Erstes Kapitel

Das Reden tut dem Menschen gut,
Wenn man es nämlich selber tut;
Von Angstprodukten abgesehn,
Denn so etwas bekommt nicht schön.

Die Segelflotte der Gedanken,
Wie fröhlich fährt sie durch die Schranken
Der aufgesperrten Mundesschleuse
Bei gutem Winde auf die Reise
Und steuert auf des Schalles Wellen
Nach den bekannten offnen Stellen
Am Kopfe, in des Ohres Hafen
Der Menschen, die mitunter schlafen.

Vor allen der Politikus
Gönnt sich der Rede Vollgenuß;
Und wenn er von was sagt, so sei's,
Ist man auch sicher, daß er's weiß.

Doch andern, darin mehr zurück,
Fehlt dieser unfehlbare Blick.
Sie lockt das zartere Gemüt
Ins anmutreiche Kunstgebiet,
Wo grade, wenn man nichts versteht,

Der Schnabel um so leichter geht.
Fern liegt es mir, den Freund zu rügen,
Dem Tee zu kriegen ein Vergnügen
Und im Salon mit geistverwandten
Ästhetisch durchgeglühten Tanten
Durch Reden bald und bald durch Lauschen
Die Seelen säuselnd auszutauschen.

Auch tadl' ich keinen, wenn's ihn gibt,
Der diese Seligkeit nicht liebt,
Der keinen Tee mag, selbst von Engeln,
Dem's da erst wohl, wo Menschen drängeln.
Ihn fährt die Droschke, zieht das Herz
Zu schönen Opern und Konzerts,
Die auch im Grund, was nicht zu leugnen,
Zum Zwiegespräch sich trefflich eignen.
Man sitzt gesellig unter vielen
So innig nah auf Polsterstühlen,
Man ist so voll humaner Wärme;
Doch ewig stört uns das Gelärme,
Das Grunzen, Plärren und Gegirre
Der musikalischen Geschirre,
Die eine Schar im schwarzen Fracke
Mit krummen Fingern, voller Backe,
Von Meister Zappelmann gehetzt,
Hartnäckig in Bewegung setzt.
So kommt die rechte Unterhaltung
Nur ungenügend zur Entfaltung.

Ich bin daher, statt des Gewinsels,
Mehr für die stille Welt des Pinsels;
Und, was auch einer sagen mag,
Genußreich ist der Nachmittag,
Den ich inmitten schöner Dinge
Im lieben Kunstverein verbringe;
Natürlich meistenteils mit Damen.
Hier ist das Reich der goldnen Rahmen,
Hier herrschen Schönheit und Geschmack,
Hier riecht es angenehm nach Lack;

Hier gibt die Wand sich keine Blöße,
Denn Prachtgemälde jeder Größe
Bekleiden sie und warten ruhig,
Bis man sie würdigt, und das tu ich.
Mit scharfem Blick, nach Kennerweise,
Seh ich zunächst mal nach dem Preise,
Und bei genauerer Betrachtung
Steigt mit dem Preise auch die Achtung.
Ich blicke durch die hohle Hand,
Ich blinzle, nicke: „Ah, scharmant!
Das Kolorit, die Pinselführung,
Die Farbentöne, die Gruppierung,
Dies Lüster, diese Harmonie,
Ein Meisterwerk der Phantasie.
Ach, bitte, sehn Sie nur, Komteß!"
Und die Komteß, sich unterdeß
Im duftigen Batiste schneuzend,
Erwidert schwärmrisch: „Oh, wie reizend!"

Und wahrlich! Preis und Dank gebührt
Der Kunst, die diese Welt verziert.

Der Architekt ist hochverehrlich,
(Obschon die Kosten oft beschwerlich),
Weil er uns unsre Erdenkruste,
Die alte, rauhe und berußte,
Mit saubern Baulichkeiten schmückt,
Mit Türmen und Kasernen spickt.

Der Plastiker, der uns ergötzt,
Weil er die großen Männer setzt,
Grauschwärzlich, grünlich oder weißlich,
Schon darum ist er löb- und preislich,
Daß jeder, der z. B. fremd,
Soeben erst vom Bahnhof kömmt,
In der ihm unbekannten Stadt
Gleich den bekannten Schiller hat.
Doch größern Ruhm wird der verdienen,
Der Farben kauft und malt mit ihnen.

Wer weiß die Hallen und dergleichen
So welthistorisch zu bestreichen?
Al fresco und für ewig fast,
Wenn's mittlerweile nicht verblaßt.

Wer liefert uns die Genresachen,
So rührend oder auch zum Lachen?
Wer schuf die grünen Landschaftsbilder,
Die Wirtshaus- und die Wappenschilder?
Wer hat die Reihe deiner Väter
Seit tausend Jahren oder später
So meisterlich in Öl gesetzt?
Wer wird vor allen hochgeschätzt?
Der Farbenkünstler! Und mit Grund!
Er macht uns diese Welt so bunt.

Darum, o Jüngling, fasse Mut;
Setz auf den hohen Künstlerhut
Und wirf dich auf die Malerei;
Vielleicht verdienst du was dabei.

Nach diesem ermunterungsvollen Vermerke
Fahren wir fort im löblichen Werke.

Zweites Kapitel

Nachdem die Welt so manches Jahr
Im alten Gleis gegangen war,
Erfuhr dieselbe unvermutet,
Daß, als der Wächter zwölf getutet,
Bei Klecksels, wohnhaft Nr. 3,
Ein Knäblein angekommen sei. –
Bald ist's im Kirchenbuch zu lesen;
Denn wer bislang nicht dagewesen,
Wer so als gänzlich Unbekannter,
Nunmehr als neuer Anverwandter,
Ein glücklich Elternpaar besucht,
Wird flugs verzeichnet und gebucht.
Kritzkratz! Als kleiner Weltphilister
Steht Kuno Klecksel im Register. –

Früh zeigt er seine Energie,
Indem er ausdermaßen schrie;
Denn früh belehrt ihn die Erfahrung:
Sobald er schrie, bekam er Nahrung.

Dann lutscht er emsig und behende,
Bis daß die Flüssigkeit zu Ende.

Auch schien's ihm höchst verwundersam,
Wenn jemand mit der Lampe kam.
Er staunt, er glotzt, er schaut verquer,
Folgt der Erscheinung hin und her

Und weidet sich am Lichteffekt.
Man sieht bereits, was in ihm steckt.

Schnell nimmt er zu, wird stark und feist,
An Leib nicht minder, wie an Geist,
Und zeigt bereits als kleiner Knabe

Des Zeichnens ausgeprägte Gabe.
Zunächst mit einem Schieferstiele
Macht er Gesichter im Profile;

Zwei Augen aber fehlen nie,
Denn die, das weiß er, haben sie.
Durch Übung wächst der Menschenkenner.
Bald macht er auch schon ganze Männer
Und zeichnet fleißig, oft und gern
Sich einen wohlbeleibten Herrn.

Und nicht nur, wie er außen war,
Nein, selbst das Innre stellt er dar.

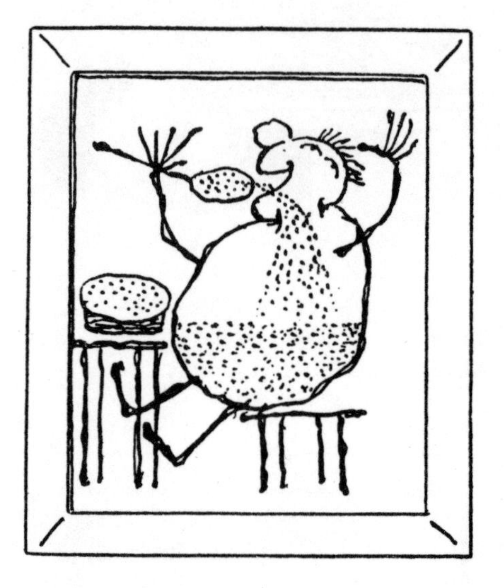

Hier thront der Mann auf seinem Sitze
Und ißt z. B. Hafergrütze.
Der Löffel führt sie in den Mund,
Sie rinnt und rieselt durch den Schlund,
Sie wird, indem sie weiterläuft,
Sichtbar im Bäuchlein angehäuft. –

So blickt man klar, wie selten nur,
Ins innre Walten der Natur. –

Doch ach! wie bald wird uns verhunzt
Die schöne Zeit naiver Kunst;
Wie schnell vom elterlichen Stuhle
Setzt man uns auf die Bank der Schule!

Herr Bötel nannte sich der Lehrer,
Der, seinerseits kein Kunstverehrer,
Mehr auf das Praktische beschränkt,
Dem Kuno seine Studien lenkt.

Einst an dem schwarzen Tafelbrett
Malt Kuno Böteln sein Portrett,

Herr Bötel, der es nicht bestellt,
Auch nicht für sprechend ähnlich hält,

Schleicht sich herzu in Zornerregung;
Und unter heftiger Bewegung
Wird das Gemälde ausgeputzt.

Der Künstler wird als Schwamm benutzt.

Bei Kuno ruft dies Ungemach
Kein Dankgefühl im Busen wach. –

Ein Kirchenschlüssel, von Gestalt
Ehrwürdig, rostig, lang und alt,
Durch Kuno hinten angefeilt,
Wird fest mit Pulver vollgekeilt.
Zu diesem ist er im Besitze
Von einer oft bewährten Spritze;
Und da er einen Schlachter kennt,
Füllt er bei ihm sein Instrument.

Die Nacht ist schwarz, Herr Bötel liest.

Bums! hört er, daß man draußen schießt.

Er denkt: „Was mag da vor sich gehn?

Ich muß mal aus dem Fenster sehn."
Es zischt der Strahl, von Blut gerötet;

Herr Bötel ruft: „Ich bin getötet!"

Mit diesen Worten fällt er nieder
Und streckt die schreckgelähmten Glieder.

Frau Bötel war beim Tellerspülen;
Sie kommt und schreit mit Angstgefühlen:
„Ach, Bötel! lebst du noch, so sprich!"

„Kann sein!" – sprach er – „Man wasche mich!"

Bald zeigt sich, wie die Sache steht.
Herr Bötel lebt und ist komplett.
Er ruft entrüstet und betrübt:
„Das hat der Kuno ausgeübt!" –

Wenn wer sich wo als Lump erwiesen,
So bringt man in der Regel diesen
Zum Zweck moralischer Erhebung
In eine andere Umgebung.
Der Ort ist gut, die Lage neu,
Der alte Lump ist auch dabei. –

Nach diesem schon öfters erprobten Vermerke
Fahren wir fort im löblichen Werke.

Drittes Kapitel

Alsbald nach dieser Spritzaffäre
Kommt unser Kuno in die Lehre
Zum braven Malermeister Quast;
Ein Mann, der seine Kunst erfaßt,
Ein Mann, der trefflich tapeziert
Und Ofennischen marmoriert,
Und dem für künstlerische Zwecke
Erreichbar selbst die höchste Decke.

Der Kunstbetrieb hat seine Plagen,
Viel Töpfe muß der Kuno tragen.

Doch gerne trägt er einen Kasten
Mit Vesperbrot für sich und Quasten.

Es fiel ihm auf, daß jeder Hund
Bei diesem Kasten stille stund.

„Ei!" – denkt er – „das ist ja famos!"

Und macht den Deckel etwas los.

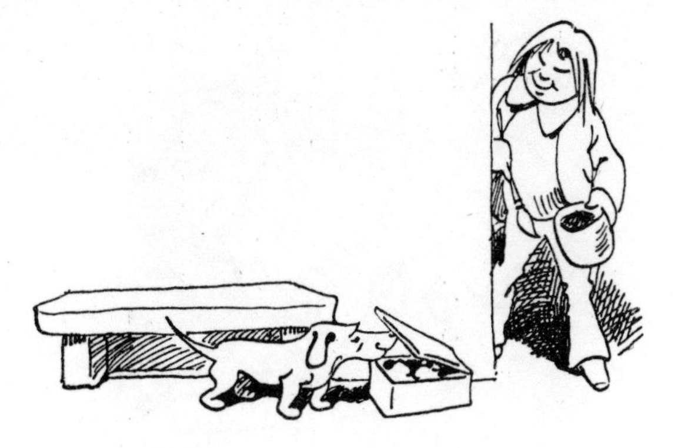

Ein Teckel, der den Deckel lupft,
Wird eingeklemmt und angetupft,

So daß er buntgefleckelt ward,
Fast wie ein junger Leopard.

Ein Windspiel, das des Weges läuft
Und naschen will, wird quer gestreift;

Es ist dem Zebra ziemlich ähnlich,
Nur schlanker, als wie dies gewöhnlich.

Ein kleiner Bulldogg, der als dritter
Der Meinung ist, daß Wurst nicht bitter,

Wird reizend grün und gelb kariert,
Wie's einem Inglischmän gebührt.

Ungern bemerkt dies Meister Quast.
Ihm ist die Narretei verhaßt!

Er liebte keine Zeitverschwendung
Und falsche Farbestoffverwendung.
Er schwieg. Doch als die Stunde kam,
Wo man die Vespermahlzeit nahm,
Da sprach er mild und guten Mutes:

„Ein guter Mensch kriegt auch was Gutes!“

Er schnitt vom Brot sich einen Fladen.
Der Kuno wird nicht eingeladen.

Er greift zur Wurst. Er löst die Haut.
Der Kuno steht dabei und schaut.

Die Wurst verschwindet allgemach.
Der Kuno blickt ihr schmachtend nach. –

Die Wurst verschwand bis auf die Schläue.
Der Kuno weint der Tränen zweie.

Doch Meister Quast reibt frohbedächtig
Den Leib und spricht: „Das schmeckte prächtig!
Heut abend laß ich nichts mehr kochen!" –

Er hält getreu, was er versprochen;
Geht ein durch seine Kammerpforte
Und spricht gemütlich noch die Worte:

„Sei mir willkommen, süßer Schlaf!
Ich bin zufrieden, weil ich brav!"

Der Kuno denkt noch nicht zu ruhn.
Er hat was Wichtiges zu tun.

Zunächst vor jeder andern Tat
Legt er sein Ränzel sich parat.
Sodann erbaut er auf der Diele
Aus Töpfen, Gläsern und Gestühle
Ein Werk im Stil der Pyramiden
Zum Denkmal, daß er abgeschieden.
Apart jedoch von der Verwirrnis
Stellt er den Topf, gefüllt mit Firnis.

Zuletzt ergreift er, wie zur Wehre,
Die mächtige Tapetenschere.

Quasts Deckbett ist nach altem Brauch
Ein stramm gestopfter Federschlauch.

Mit einem langen, leisen Schnitte
Schlitzt es der Kuno in der Mitte.

Rasch leert er jetzt den Firnistopf
Auf Quastens ahnungslosen Kopf.

Quast fährt empor voll Schreck und Staunen,
Greift, schlägt und tobt und wird voll Daunen.

Er springt hinaus in großer Hast,
Von Ansehn wie ein Vogel fast,

Und stößt mit schrecklichem Rumbum
Die neuste Pyramide um.

Froh schlägt das Herz im Reisekittel,
Vorausgesetzt, man hat die Mittel.

Nach diesem ahnungsvollen Vermerke
Fahren wir fort im löblichen Werke.

Viertes Kapitel

Recht gern empfängt die Musenstadt
Den Fremdling, welcher etwas hat. –
Kuno ist da. – Gedankentief
Verfaßt derselbe diesen Brief:
„Geehrter Herr Vater! Bei Meister Quast
Hat es mir leider nicht recht gepaßt.
Seit vorigen Freitag bin ich allhie,
Um zu besuchen die Akademie.
Geld hab' ich bereits schon gar nicht mehr.
Um solches, o Vater, ersuch' ich Euch sehr.
Logieren tu' ich auf hartem Gestrüppe.
Euer Sohn, das Hunger- und Angstgerippe."

Der Vater, kratzend hinterm Ohr,
Sucht hundert Gulden bang hervor.
Eindringlich warnend vor Verschwendung,
Macht er dem Sohn die schwere Sendung.

Jetzt hat der Kuno Geld in Masse,
Stolz geht er in die Zeichenklasse.

Von allen Schülern, die da sitzen,
Kann keiner so den Bleistift spitzen.
Auch sind nur wenige dazwischen,
Die so wie er mit Gummi wischen.
Und im Schraffieren, was das Schwerste,
Da wird er unbedingt der Erste.

Jedoch zur Nacht, wenn er sich setzte,
Beim Schimmelwirt, blieb er der Letzte.

Mit Leichtigkeit genießt er hier
So seine ein, zwei, drei Glas Bier.

Natürlich, da er so vorzüglich,
Sitzt er zu Ostern schon vergnüglich
Im herrlichen Antikensaale,
Dem Sammelplatz der Ideale.

Der Alten ewig junge Götter –
Wenn mancher auch in Wind und Wetter

Und sonst durch allerlei Verdrieß
Kopf, Arm und Bein im Stiche ließ –
Ergötzen Kuno unbeschreiblich,
Besonders, wenn die Götter weiblich.

Er ahmt sie nach in schwarzer Kreide.

Doch kann er sich auch diese Freude
An schönen Sommernachmittagen,
Wenn's grade nötig, mal versagen
Und eilt mit brennender Havanna
Zum Schimmelwirt zu der Susanna.

Hier in des Gartens Lustrevier
Trinkt er so zwei, drei, vier Glas Bier.
Daher man denn auch bald erfuhr,
Der Klecksel malt nach der Natur.

Am linken Daumen die Palette,
Steht er schon da vor seinem Brette
Und malt die alte Runzeltante,
Daß sie fast jeder wiederkannte.

Doch eh die Abendglocke klang,
Macht er den hergebrachten Gang

Zur Susel und vertilgt bei ihr
So seine vier, fünf, sechs Glas Bier.
Da eines Abends sagt ganz plötzlich,
Grad als der Kuno recht ergötzlich,
Dies sonst so nette Frauenzimmer:
„Jetzt zahlen, oder Bier gibt's nimmer!"

Ach! reines Glück genießt doch nie,
Wer zahlen soll und weiß nicht wie!

Nach diesem mit Wehmut gemachten Vermerke
Fahren wir fort im löblichen Werke.

Ganz arglos auf dem Schillerplatzel
Geht Kunos Freund, der Herr v. Gnatzel,

Ein netter Herr, ein lieber Mann.
Der Kuno pumpt ihn freudig an.

Freund Gnatzels Züge werden schmerzlich.

Er spricht gerührt: „Bedaure herzlich!
Recht dumm! Vergaß mein Portemonnaie!

Geduld bis morgen früh! Adieu!"

Von nun an ist es sonderbar,
Wie Gnatzel schwer zu treffen war.

Oft naht sich dieser Freund von ferne
Und Kuno grüßte ihn so gerne;

Doch kommt er nie zu seinem Zwecke;
Freund Gnatzel biegt um eine Ecke.

Oft sucht ihn Kuno zu beschleichen,
Um ihn von hinten zu erreichen;

Freund Gnatzel merkt es aber richtig,
Grad so, als ob er hintersichtig,

Schlüpft in die Droschke mit Geschick
Und läßt den Kuno weit zurück.

Der Kuno blickt in eine Schenke.
Sieh da! Freund Gnatzel beim Getränke!

Doch schnell entschlüpft er dem Lokal
Durchs Hinterpförtchen, wie ein Aal. –

Der Kuno sieht in dieser Not
Nur noch ein einzig Rettungsboot.

Er hat, von Schöpfungsdrang erfüllt,
Verfertigt ein historisch Bild:

Wie Bertold Schwarz vor zwei Sekunden
Des Pulvers große Kraft erfunden.
Dies Bildnis soll der Retter sein.
Er bringt es auf den Kunstverein.

Leicht kommt man an das Bildermalen,
Doch schwer an Leute, die's bezahlen.
Statt ihrer ist, als ein Ersatz,
Der Kritikus sofort am Platz.

Nach diesem, ach leider! so wahren Vermerke
Fahren wir fort im löblichen Werke.

Sechstes Kapitel

In selber Stadt ernährte sich
Ganz gut ein Dr. Hinterstich
Durch Kunstberichte von Bedeutung
In der von ihm besorgten Zeitung,
Was manchem das Geschäft verdirbt,
Der mit der Kunst sein Brot erwirbt.

Dies Blatt hat Klecksel mit Behagen
Von jeher eifrig aufgeschlagen.
Auch heute hält er's in der Hand
Und ist auf den Erfolg gespannt.

Wie düster wird sein Blick umnebelt!
Wie hat ihn Hinterstich vermöbelt!

Sogleich in eigener Person
Fort stürmt er auf die Redaktion.

Des Autors Physiognomie
Bedroht er mit dem Parapluie.

Der Kritikus, in Zornekstase,
Spießt mit der Feder Kunos Nase;

Ein Stich, der um so mehr verletzt,
Weil auch zugleich die Tinte ätzt.

Stracks wird der Regenschirm zur Lanze.

Flugs dient der Tisch als eine Schanze.

Vergeblich ist ein hoher Stoß,

Auch bleibt ein tiefer wirkungslos.

Jetzt greift der Kritikus voll Haß
Als Wurfgeschoß zum Tintenfaß.
Jedoch der Schaden bleibt gering,
Weil ihn das Parapluie empfing.

Der Kritikus braucht eine Finte.

Er zieht den Kuno durch die Tinte.
Der Tisch fällt um. Höchst penetrant

Wirkt auf das Augenlicht der Sand.

Indessen zieht der Kuno aber
Den Bleistift Numro 5 von Faber;

Und Hinterstich, der sehr rumort,
Wird mehrfach peinlich angebohrt.

Der Kuno, seines Sieges froh,
Verläßt das Redaktionsbüro.

Ein rechter Maler, klug und fleißig,
Trägt stets 'n spitzen Bleistift bei sich.

Nach diesem beherzigenswerten Vermerke
Fahren wir fort im löblichen Werke.

So ist denn also, wie das vorige
Ereignis lehrt, die Welthistorie
Wohl nicht das richtige Gebiet,
Wo Kunos Ruhm und Nutzen blüht.
Vielleicht bei näherer Bekanntschaft
Schuf die Natur ihn für die Landschaft,
Die jedem, der dazu geneigt,
Viel nette Aussichtspunkte zeigt.

Zum Beispiel dieses Felsenstück
Gewährt ihm einen zweiten Blick.

Wer kommt denn über jenen Bach?
Das ist das Fräulein von der Ach,
Vermögend zwar, doch etwas ältlich,
Halb geistlich schon und halb noch weltlich,
Lustwandelt sie mit Seelenruh
Und ihrem Spitz dem Kloster zu.

Zwei Hunde kommen angehüpft,
Die man durch eine Schnur verknüpft.

Der Spitz, gar ängstlich, retiriert,

Das gute Fräulein wird umschnürt.

Der Spitz enteilt, die Hunde nach;

Mit ihnen Fräulein von der Ach.

Der Kuno springt von seinem Steine.
Ein Messerschnitt zertrennt die Leine.

Der Kuno zeigt sich höchst galant.

Das Fräulein fragt, eh sie verschwand:
„Darf man Ihr Atelier nicht sehn?" –
„Holzgasse 5." – „Ich danke schön!" –

Vielleicht, daß diese gute Tat
Recht angenehme Folgen hat!

Nach diesem hoffnungsvollen Vermerke
Fahren wir fort im löblichen Werke.

Sie blieb nicht aus. Sie kam zu ihm.
Hold lächelnd sprach sie und intim:
„Mein werter Freund! Seit längst erfüllt
Mich schon der Wunsch, ein lieblich Bild
Zu stiften in die Burgkapelle,
Was ich bei Ihnen nun bestelle.
So legendarisch irgendwie.
Vorläufig dies für Ihre Müh!"

Mit sanftem Druck legt sie in seine
Entzückte Hand zwei größre Scheine. –

Der Kuno, fremd in der Legende,
Verwendet sich zu diesem Ende
An einen grundgelehrten Greis,
Der folgende Geschichte weiß:

Der kühne Ritter
und
der greuliche Lindwurm

Es kroch der alte Drache
Aus seinem Felsgemache
Mit grausigem Randal.
All' Jahr ein Mägdlein wollt' er,
Sonst grollt er und radollt er,
Fraß alles ratzekahl.

Was kommt da aus dem Tore
In schwarzem Trauerflore
Für eine Prozession?
Die Königstochter Irme
Bringt man dem Lindgewürme;
Das Scheusal wartet schon.

Hurra! Wohl aus dem Holze
Ein Ritter keck und stolze
Sprengt her wie Wettersturm.
Er sticht dem Untier schnelle
Durch seine harte Pelle;
Tot liegt und schlapp der Wurm.

Da sprach der König freudig:
„Wohlan, Herr Ritter schneidig,
Setzt Euch bei uns zur Ruh.
Ich geb Euch sporenstreiches
Die Hälfte meines Reiches,
Mein Töchterlein dazu!"

„Mau, mau!" so rief erschrocken
Mit aufgesträubten Locken
Der Ritter stolz und keck.
„Ich hatte schon mal eine,
Die sitzt mir noch im Beine!
Ade!" und ritt ums Eck.

O altes blaues Wunder!
Da han wir doch jetzunder
Mehr Herz im Kamisol.
Wir ziehen unsre Kappe
Vor solchem Schwiegerpappe
Und sprechen: Ei, jawohl!

Der Stoff ist Kuno sehr willkommen,
Die zweite Hälfte ausgenommen,
Um ihn mit Kohle zu skizzieren
Und dann in Farben auszuführen. –

Gar oft erfreut das Fräulein sich
An Kunos kühnem Kohlenstrich,
Obgleich ihr eigentlich nicht klar,
Wie auch dem Künstler, was es war.
Wie's scheint, will ihm vor allen Dingen
Das Bild der Jungfrau nicht gelingen.
„Nur schwach, Natur, wirst du verstanden" –
Seufzt er – „wenn kein Modell vorhanden!"

„Kann ich nicht dienen?“ lispelt sie.
„Schön!“ – rief er – „Mittwoch in der Früh!“

Als nun die Abendglocke schlug,
Zieht ihn des Herzens süßer Zug
Zum Schimmelwirt, wie ehedem;
Und Susel macht sich angenehm.
Denn alte Treu, sofern es nur
Rentabel ist, kommt gern retour.
Ja, dies Verhältnis hier gedieh
Zu ungeahnter Harmonie. –

Mit zween Herrn ist schlecht zu kramen;
Noch schlechter, fürcht' ich, mit zwo Damen.

Nach diesem mit Zittern gemachten Vermerke
Fahren wir fort im löblichen Werke.

Es war im schönen Karneval,
Wo, wie auch sonst und überall,
Der Mensch mit ungemeiner List
Zu scheinen sucht, was er nicht ist.
Dem Kuno scheint zu diesem Feste
Ein ritterlich Gewand das beste.

Schön Suschen aber schwebt dahin
Als holdnaive Schäferin.

Schon schwingt das Bein, das graziöse,
Sich nach harmonischem Getöse

Bei staubverklärtem Lichterglanze
Im angenehmsten Wirbeltanze. –

Doch ach! die schöne Nacht verrinnt.
Der Morgen kommt; kühl weht der Wind.

Zwei Menschen wandeln durch den Schnee
Vereint in Kunos Atelier.

Und hier besiegeln diese zwei
Sich dauerhafte Lieb und Treu. –

Hoch ist der Liebe süßer Traum
Erhaben über Zeit und Raum. –
Der Kuno, davon auch betäubt,
Vergaß, daß man heut Mittwoch schreibt. –
Es rauscht etwas im Vorgemach.
O weh! Das Fräulein von der Ach!

„Herzallerliebster Schatz, allons!
Verbirg dich hinter dem Karton!"

„Willkommen, schönste Gönnerin!
Hier, bitte, treten Sie mal hin!"

Begonnen wird das Konterfei.
Der Spitz schaut hinter die Stafflei.

Der Künstler macht sein Sach genau.
Der Spitz, bedenklich, macht wau, wau!

Entrüstet aber wird der Spitz
Infolge eines Seitentritts.

Die Haare sträuben sich dem Spitze,
Die Staffel schwankt. Ausrutscht die Stütze;

Und mit Gerassel wird enthüllt
Der Schäferin verschämtes Bild.

Nach dieser Krisis, wie ich bemerke,
Geht es zu End' mit dem löblichen Werke.

Schluss

Hartnäckig weiter fließt die Zeit;
Die Zukunft wird Vergangenheit.
Von einem großen Reservoir
Ins andre rieselt Jahr um Jahr;
Und aus den Fluten taucht empor
Der Menschen buntgemischtes Korps.
Sie plätschern, traurig oder munter,
'n bissel 'rum, dann gehen's unter
Und werden, ziemlich abgekühlt,
Für läng're Zeit hinweggespült. –

Wie sorglich blickt das Aug' umher!
Wie freut man sich, wenn der und der,
Noch nicht versunken oder matt,
Den Kopf vergnügt heroben hat.

Der alte Schimmelwirt ist tot.

Ein neuer trägt das Reichskleinod.

Derselbe hat, wie seine Pflicht,
Dies Inserat veröffentlicht:

Kund sei es dem hohen Publiko,
Daß meine Frau Suse, des bin ich froh,
Hinwiederum eines Knäbleins genesen,
Als welches bis dato das fünfte gewesen.
Viel Gutes bringet der Jahreswechsel
Dem Schimmelwirte – Kuno Klecksel. –

So tut die vielgeschmähte Zeit
Doch mancherlei, was uns erfreut;
Und, was das Beste, sie vereinigt
Selbst Leute, die sich einst gepeinigt. –

Das Fräulein freilich, mit erboster
Entsagung, ging vorlängst ins Kloster.
Doch Bötel, wenn er in den Ferien
Die Stadt besucht und Angehörigen,
Und Meister Quast, der allemal
Von hier entnimmt sein Material,
Wie auch der vielgewandte Gnatzel,
(Jetzt schon bedeckt mit einer Atzel),
Ja, selbst der Dr. Hinterstich,
Dem alter Groll nicht hinderlich,

Sie alle trinken unbeirrt
Ihr Abendbier beim Schimmelwirt.

Oft sprach dann Bötel mit Behagen:
„Herr Schimmelwirt, ich kann wohl sagen:
Wär nicht die rechte Bildung da,
Wo wären wir? Ja ja, ja ja!!"

Nach diesem von Bötel gemachten Vermerk
Schließen wir freudig das löbliche Werk.

WAS MICH BETRIFFT

1886

Letztes Selbstbildnis

Es scheint wunderlich; aber weil andre über mich geschrieben, muß ich's auch einmal tun. Daß es ungern geschähe, kann ich dem Leser, einem tiefen Kenner auch des eigenen Herzens, nicht weismachen, daß es kurz geschieht, wird ihm eine angenehme Enttäuschung sein.

Ich bin geboren am 15. April 1832 zu Wiedensahl als der erste von sieben.

Mein Vater war Krämer; klein, kraus, rührig, mäßig und gewissenhaft; stets besorgt, nie zärtlich; zum Spaß geneigt, aber ernst gegen Dummheiten. Er rauchte beständig Pfeifen, aber, als Feind aller Neuerungen, niemals Zigarren, nahm daher auch niemals Reibhölzer, sondern blieb bei Zunder, Stahl und Stein, oder Fidibus. Jeden Abend spazierte er allein durchs Dorf; zur Nachtigallenzeit in den Wald. Meine Mutter, still, fleißig, fromm, pflegte nach dem Abendessen zu lesen. Beide lebten einträchtig und so häuslich, daß einst über zwanzig Jahre vergingen, ohne daß sie zusammen ausfuhren.

Was weiß ich denn noch aus meinem dritten Jahr? Knecht Heinrich macht schöne Flöten für mich und spielt selber auf der Maultrommel, und im Garten ist das Gras so hoch und die Erbsen sind noch höher; und hinter dem strohgedeckten Hause, neben dem Brunnen, stand ein Kübel voll Wasser, und ich sah mein Schwesterchen drin liegen, wie ein Bild unter Glas und Rahmen, und als die Mutter kam, war sie kaum noch ins Leben zu bringen. Heut (1886) wohne ich bei ihr.

Gesangbuchverse, biblische Geschichten und eine Auswahl der Märchen von Andersen waren meine früheste Lektüre.

Als ich neun Jahre alt geworden, beschloß man, mich dem Bruder meiner Mutter in Ebergötzen zu übergeben. Ich freute mich drauf; nicht ohne Wehmut. Am Abend vor der Abreise plätscherte ich mit der Hand in der Regentonne, über die ein Strauch von weißen Rosen hing, und sang Christine! Christine! versimpelt für mich hin. Früh vor Tag wurde das dicke Pommerchen in die Scherdeichsel des Leiterwagens gedrängt. Das Gepäck ist aufgeladen; als ein Hauptstück der wohlverwahrte Leib eines alten Zinkedings von Klavier, dessen lästig gespreiztes Beingestell in der Heimat blieb; ein ahnungsvolles Symbol meiner musikalischen Zukunft. Die Reisenden steigen auf: Großmutter, Mutter, vier Kinder und ein Kindermädchen, Knecht Heinrich zuletzt. Fort rumpelts durch den Schaumburger Wald. Ein Rudel Hirsche springt über den Weg; oben ziehen die Sterne; im Klavierkasten tunkt es. Nach zweimaligem Übernachten bei Verwandten wurde das Ebergötzener Pfarrhaus erreicht.

Der Onkel (jetzt über 80 und frisch) war ein stattlicher Mann, ein ruhiger Naturbeobachter und äußerst milde; nur ein einziges Mal, obwohl schon öfters verdient, gab's Hiebe; mit einem trocknen Georginenstengel; weil ich den Dorftrottel geneckt.

Gleich am Tage der Ankunft schloß ich Freundschaft mit dem Sohne des Müllers. Sie ist von Dauer gewesen. Alljährlich besuch ich ihn und schlafe noch immer sehr gut beim Rumpumpeln des Mühlwerks und dem Rauschen des Wassers.

Einen älteren Freund gewann ich in dem Wirt und Krämer des Orts. Haarig bis an die Augen und hinein in die Halsbinde und wieder heraus unter den Rockärmeln bis an die Fingernägel; angetan mit gelblichgrüner Juppe, die das hintere Mienenspiel einer blauen Hose nur selten zu bemänteln suchte; stets in ledernen Klapppantoffeln; unklar, heftig, nie einen Satz zu Ende sprechend; starker Schnupfer; geschmackvoller Blumenzüchter; dreimal vermählt; ist er mir bis zu seinem Tode ein lieber und ergötzlicher Mensch gewesen. Bei ihm fand ich einen dicken Liederband, welcher durchgeklimpert, und viele der freireligiösen Schriften jener Zeit, die begierig verschlungen wurden.

Der Lehrer der Dorfjugend, weil nicht der meinige, hatte keine Gewalt über mich – solange er lebte. Aber er hing sich auf, fiel herunter, schnitt sich den Hals ab und wurde auf dem Kirchhof dicht unter meinem Kammerfenster begraben. Und von nun an zwang er mich allnächtlich, auch in der heißesten Sommerzeit, ganz unter der Decke zu liegen. Bei Tage ein Freigeist, bei Nacht ein Geisterseher.

Meine Studien teilten sich naturgemäß in beliebte und unbeliebte. Zu den ersten rechne ich Märchenlesen, Zeichnen, Forellenfischen und Vogelstellen. Zwischen all dem herum aber schwebte beständig das anmutige Bildnis eines blonden Kindes, dessen Neigung zu fesseln, oder um die eigene glänzen zu lassen, ein fabelhafter Reichtum, eine übernatürliche Gewandtheit und selbst die bekannte Rettung aus Feuersgefahr mit nachfolgendem Tode zu den Füßen der Geliebten sehr dringend zu wünschen schien. –

Etwa ums Jahr 45 bezogen wir die Pfarre zu Lüthorst. – Vor meinem Fenster murmelt der Bach; dicht drüben steht ein Haus; eine Schaubühne des ehelichen Zwistes; der sogenannte Hausherr spielt die Rolle des besiegten Tyrannen. Ein hübsches, natürliches Stück; zwar das Laster unterliegt, aber die Tugend triumphiert nicht. – In den Stundenplan schlich sich nun auch die Metrik ein. Die großen heimatlichen Dichter wurden gelesen; ferner Shakespeare. Zugleich fiel mir „die Kritik der reinen Vernunft“ in die Hände, die, wenn auch noch nicht ganz verstanden, doch eine Neigung erweckte, in den Laubengängen des intimeren Gehirns zu lustwandeln, wo's bekanntlich schön schattig ist.

Sechzehn Jahre alt, ausgerüstet mit einem Sonett nebst zweifelhafter Kenntnis der vier Grundrechnungsarten, erhielt ich Einlaß zur polytechnischen Schule in Hannover, allwo ich mich in der reinen Mathematik bis zu Nr. 1 mit Auszeichnung emporschwang. – Im Jahr 48 trug auch ich mein gewichtiges Kuhbein, welches nie scharf geladen werden durfte, und erkämpfte mir in der Wachtstube die bislang noch nicht geschätzten Rechte des Rauchens und des Biertrinkens; zwei Märzerrungenschaften, deren erste mutig bewahrt, deren zweite durch die Reaktion des Alters jetzt merklich verkümmert ist. –

Schwester Fanny

Nachdem ich drei bis vier Jahre in Hannover gehaust, verfügte ich mich, von einem Maler ermuntert, in den Düsseldorfer Antikensaal. Unter Anwendung von Gummi, Semmel und Kreide übte und erlernte ich daselbst die beliebte Methode des Tupfens, mit der man das reizende lithographische „Korn" erzeugt. –

Von Düsseldorf geriet ich nach Antwerpen in die Malschule. – Ich wohnte am Eck der Käsbrücke bei einem Bartscherer. Er hieß Jan und sie hieß Mie. Zu gelinder Abendstunde saß ich mit ihnen vor der Haustüre, im grünen Schlafrock, die Tonpfeife im Munde; und die Nachbarn kamen auch herzu; der Korbflechter, der Uhrmacher, der Blechschläger; die Töchter in schwarzlackierten Holzschuhen. Jan und Mie waren ein zärtliches Pärchen, sie dick, er dünn; sie balbierten mich abwechselnd, verpflegten mich in einer Krankheit und schenkten mir beim Abschied in kühler Jahreszeit eine warme, rote Jacke nebst drei Orangen. – Wie war mir's traurig zumut, als ich voll Neigung und Dankbarkeit nach Jahren dies Eck wieder aufsuchte, und alles war neu, und Jan und Mie gestorben, und nur der Blechschläger pickte noch in seinem alten, eingeklemmten Häuschen und sah mich trüb und verständnislos über die Brille an.

Den deutschen Künstlerverein, bestehend aus einigen Malern, aus politischen Flüchtlingen und Auswanderungsagenten, besucht ich selten, fühlte mich aber geehrt durch Aufnahme einiger Scherze in die Kneipzeitung.

In Antwerpen sah ich zum erstenmal im Leben die Werke alter Meister: Rubens, Brouwer, Teniers; später Frans Hals. Ihre göttliche Leichtigkeit der Darstellung, die nicht patzt und kratzt und schabt, diese Unbefangenheit eines guten Gewissens, welches nichts zu vertuschen braucht, dabei der stoffliche Reiz eines schimmernden Juwels, haben für immer meine Liebe und Bewunderung gewonnen; und gern verzeih ich's ihnen, daß sie mich zu sehr geduckt haben, als daß ich's je recht gewagt hätte, mein Brot mit Malen zu verdienen, wie manch anderer auch. Die Versuche, freilich, sind nicht ausgeblieben; denn geschafft muß werden, und selbst der Taschendieb geht täglich auf Arbeit aus; ja, ein wohlmeinender Mitmensch darf getrost voraussetzen, daß diese Versuche, deren Resultate zumeist für mich abhanden gekommen, sich immerfort durch die Verhältnisse hindurchziehen, welche mir schließlich meinen bescheidenen Platz anwiesen.

Nach Antwerpen hielt ich mich in Wiedensahl auf. Was sich die Leute „ut ôler welt" erzählten, klang mir sonderbar ins Ohr. Ich horchte genauer. Am meisten wußte ein alter, stiller, für gewöhnlich wortkarger Mann. Einsam saß er abends im Dunkeln. Klopft ich ans Fenster, so steckte er freudig den Trankrüsel an. In der Ofenecke steht sein Sorgensitz. Rechts von der Wand langte er sich die sinnreich senkrecht im Kattunbeutel hängende kurze Pfeife, links vom Ofen den Topf voll heimischen Tabaks, und nachdem er gestopft, gesogen und Dampf gemacht, fängt er seine vom Mütterlein ererbten Geschichten an. Er erzählt gemächlich; wird's aber dramatisch, so steht er auf und wechselt den Platz, je nach den redenden Personen; wobei denn auch die Zipfelmütze, die sonst nur leis nach vorne nickte, in mannigfachen Schwung gerät.

Von Wiedensahl aus besuchte ich den Onkel in Lüthorst. Ein Liebhabertheater im benachbarten Städtchen zog mich in den angenehmen Kreis seiner Tätigkeit; aber ernsthafter fesselte mich das wundersame Leben des Bienenvolkes und der damals wogende Kampf um die Parthenogenesis, den mein Onkel als gewandter Schriftsteller und Beobachter entscheidend mit durchfocht. Der Wunsch und Plan, nach Brasilien auszuwandern, dem Eldorado der Imker, blieb unerfüllt. Daß ich überhaupt praktischer Bienenzüchter geworden, ist freundlicher Irrtum.

Bei Gelegenheit dieser naturwissenschaftlichen Liebhaberei wurde unter andern auch der Darwin gelesen, der unvergessen blieb, als ich mich nach Jahren mit Leidenschaft und Ausdauer in den Schopenhauer vertiefte. Die Begeisterung für dieselben hat etwas nachgelassen. Ihr Schlüssel scheint mir wohl zu mancherlei Türen zu passen in dem verwunschenen Schloß dieser Welt, nur nicht zur Ausgangstür. –

Von Lüthorst trieb mich der Wind nach München, wo bei der grad herrschenden akademischen Strömung das kleine, nicht eben geschickt gesteuerte Antwerpener Schifflein gar bald auf dem Trockenen saß. – Um so verlockender winkte der Künstlerverein. – Die Veröffentlichung der dort verübten Späße, besonders der persönlichen Verhohnhacklungen, ist mir unerwünscht. Was hilft's? Dummheiten, wenn auch vertraulich in die Welt gesetzt, werden früher oder später doch leicht ihren Vater erwischen, mag er's wollen oder nicht. –

Es kann 59 gewesen sein, als die „Fliegenden" meinen ersten Beitrag erhielten: zwei Männer auf dem Eise, von denen einer den Kopf verliert. – Ich hatte auf Holz zu erzählen. Der alte, praktische Strich stand mir wie andern zur Verfügung; die Lust am Wechsel=

spiel der Wünsche, am Wachsen und Werden war auch bei mir vorhanden. So nahmen denn bald die kontinuierlichen Bildergeschichten ihren Anfang, welche, mit der Zeit sich unwillkürlich erweiternd, mehr Beifall gefunden, als der Verfasser erwarten durfte. Wer sie freundlich in die Hand nimmt, etwa wie Spieluhren, wird vielleicht finden, daß sie, trotz bummlichten Aussehens, doch teilweise im Leben geglüht, mit Fleiß gehämmert und nicht unzweckmäßig zusammengesetzt sind. Fast sämtlich sind sie in Wiedensahl gemacht, ohne wen zu fragen und, ausgenommen ein allegorisches Tendenzstück und einige Produkte des drängenden Ernährungstriebes, zum Selbstpläsier. Hätte jedoch die sorglos in Holzchuhen tanzende Muse den einen oder andern der würdigen Zuchauer auf die Zehe getreten, so wird das bei ländlichen Festen nicht weiter entschuldigt. Ein auffällig tugendsames Frauenzimmer ist's freilich nicht. Aber indem sie einerseits den Myrtenzweig aus der Hand des übertriebenen Wohlwollens errötend von sich ablehnt, hält sie anderseits gemütlich den verschleierten Blick eines alten Ästhetikers aus, dem bei der Bestellung des eigenen Ackers ein Stäubchen Guano ins Auge geflogen. – Man hat den Autor, den diese Muse begeistert, für einen Bücherwurm und Absonderling gehalten. Das erste ohne Grund, das zweite ein wenig mit Recht. Seine Nachlässigkeit im schriftlichen Verkehr mit Fremden ist schon mehrfach gerüchtweise mit dem Tod bestraft. Für die Gesellschaft ist er nicht genugsam dressiert, um ihre Freuden geziemend zu würdigen und behaglich genießen zu können. Zu einer Abendunterhaltung jedoch, unter vier bis höchstens sechs Augen, in einer neutralen Rauchecke, bringt er noch immer eine Standhaftigkeit mit, die kaum dem anrückenden Morgen weicht. –

So viel wollt ich von mir selber sagen. – Das Geklage über alte Bekannte hab ich schon längst den Basen anheimgestellt, und selbst über manche zu schweigen, die ich liebe und verehre, kam mir hier passend vor.

Wer grad in ein Ballett vertieft ist, wer eben seinen Namenstag mit Champagner feiert, wer zufällig seine eigenen Gedichte liest, wer Skat spielt oder Tarock, dem ist freilich geholfen.

Leider stehen diese mit Recht beliebten Mittel temporärer Erlösung nicht immer jedem zur Verfügung. Oft muß man schon froh sein, wenn nur einer, der Wind machen kann, mal einen kleinen philosophisch angehauchten Drachen steigen läßt, aus altem Papier ge=

Buschs Kammer in Wiedensahl

klebt. Man wirft sein Bündel ab, den Wanderstab daneben, zieht den heißen Überrock des Daseins aus, setzt sich auf den Maulwurfs=hügel allerschärfster Betrachtung und schaut dem langgeschwänzten Dinge nach, wie's mehr und mehr nach oben strebt, sodann ein Weilchen in hoher Luft sein stolzes Wesen treibt, bis die Schnur sich verkürzt, bis es tiefer und tiefer sinkt, um schließlich matt und flach aufs dürre Stoppelfeld sich hinzulegen, von dem es aufgeflogen.

Wenigstens was mich betrifft, so mag nur einer kommen und mir beweisen, daß die Zeit und dies und das bloß ideal ist, ein angeerbtes Kopfübel, hartnäckig, inkurabel, bis der letzte Schädel ausgebrummt; er soll mich nur aufs Eis führen, seine blanken Schlittschuhe an=schnallen, auf der gefrorenen Ebene seine sinnreichen Zahlen und Schnörkel beschreiben; ich will ihn gespannt begleiten, ich will ihm dankbar sein; nur darf es nicht gar so kühl werden, daß mir die Nase friert, sonst drücke ich mich lieber hinter irgendeinen greifbaren Ofen, wär es auch nur ein ganz bescheidener von schlichten Kacheln, bei dem man sich ein bissel wärmen kann.

Ja, die Zeit spinnt luftige Fäden; besonders die in Vorrat, welche wir oft weit hinausziehen in die sogenannte Zukunft, um unsere Sor=gen und Wünsche aufzuhängen wie die Tante ihre Wäsche, die der Wind zerstreut. – Als ob's mit dem Gedrängel des gegenwärtigen Augenblicks nicht grad genug wäre.

Und dann dies liebe, trauliche, teilweis grauliche, aber durchaus putzwunderliche Polterkämmerchen der Erinnerung, voll scheinbar welken, abgelebten Zeugs; das dennoch weiter wirkt, drückt, zwickt, erfreut; oft ganz, wie's ihm beliebt, nicht uns; das sitzen bleibt, obwohl nicht eingeladen, das sich empfiehlt, wenn wir es halten möchten. Ein Kämmerchen, in Fächer eingeteilt, mit weißen, roten Türen, ja selbst mit schwarzen, wo die alten Dummheiten hinter sitzen.

Vielleicht ist's grade Winter. Leise wimmeln die Flocken vor deinem Fenster nieder. Ein weißes Türchen tut sich auf. Sieh nur, wie deutlich alles dasteht; wie in einem hellerleuchteten Puppenstübchen. – Der Lichterbaum, die Rosinengirlanden, die schaumvergoldeten Äpfel und Nüsse, die braungebackenen Lendenkerle; glückliche Eltern, selige Kinder. – Freundlich betrachtest du das Bübchen dort, denn das warst du, und wehmütig zugleich, daß nichts Besseres und Gescheiteres aus ihm geworden, als was du bist.

Mach wieder zu. – Öffne dies rote Türchen. – Ein blühendes

Frauenbild. Ernst, innig schaut's dich an; als ob's noch wäre, und ist doch nichts wie ein Phantom von dem, was längst gewesen.

Laß sein. – Paß auf das schwarze Türchen. – Da rumort's hinter. – Halt zu! – Ja, schon recht; solange wie's geht. – Du kriegst, wer weiß woher, einen Stoß auf Herz, Leber, Magen oder Geldbeutel. Du läßt den Drücker los. Es kommt die stille, einsame, dunkle Nacht. Da geht's um in der Gehirnkapsel und spukt durch alle Gebeine, und du wirfst dich von dem heißen Zipfel deines Kopfkissens auf den kalten und her und hin, bis dir der Lärm des aufdämmernden Morgens wie ein musikalischer Genuß erscheint.

Nicht du, mein süßer Backfisch! Du liegst da in deinem weißen Häubchen und weißen Hemdchen, du faltest deine schlanken Finger, schließest die blauen, harmlos-träumerischen Augen und schlummerst seelenfriedlich deiner Morgenmilch mit Brötchen entgegen, und selbst deiner Klavierstunde, denn du hast fleißig geübt.

Aber ich, Madam! und Sie, Madam; und der Herr Gemahl, der abends noch Hummer ißt, man mag sagen, was man will. – Doch

Bockmühle in Wiedensahl

nur nicht ängstlich. Die bösen Menschen brauchen nicht gleich alles
zu wissen. Zum Beispiel ich, ich werde mich wohl hüten; ich lasse
hier nur ein paar kümmerliche Gestalten heraus, die sich so gelegent=
lich in meinem Gehirn eingenistet haben, als ob sie mit dazu ge=
hörten.

Es ist Nacht in der kunst- und bierberühmten Residenz. Ich komme
natürlich aus dem Wirtshause, bin aber bereits in der Vorstadt und
strebe meinem einsamen Lager zu. Links die Planke, rechts der Gra=
ben. Hinter mir eine Stadt voll leerer Maßkrüge, vor mir die schwan=
kende Nebelsilhouette eines betagten Knickebeins. Bald drückt er
zärtlich die Planke, bald zieht ihn der Graben an; bis endlich die
Planke, des falschen Spieles müde, ihm einen solch verächtlichen
Schubs gibt, daß er dem Graben, mit Hinterlassung des linken Filz=
schuhs, sofort in die geschmeidigen Arme sinkt. Ich ziehe ihn heraus
bei den Beinen, wie einen Schubkarrn. Er wischt sich die Ohren und
wimmert kläglich: „Wissen's, i siech halt nimma recht!" – Gewiß
häufig eine zutreffende Ausrede für ältere Herrn in verwickelten
Umständen.

Ein andermal derselbe Weg. – Vor mir ein zärtliches Pärchen. Ihr
schleift, am Bändel hängend, die Schürze nach. Ich wirble sie auf mit
dem Stock und sage in gefälligem Ton: „Fräulein, Sie verlieren et=
was." Sie hört es nicht. Es ist der Augenblick vor einem Liebeskrach.
Er schlägt sie zu Boden, tritt ihr dreimal hörbar auf die Brust, und
fort ist er. – Schnell ging's. – Und was für einen sonderbaren Ton
das gibt, so ein Fußtritt auf ein weibliches Herz. Hohl, nicht hell.
Nicht Trommel, nicht Pauke. Mehr lederner Handkoffer; voll Lieb
und Treu vielleicht. – Ich gebe ihr meinen Arm, daß sie sich auf=
richten und erholen kann; denn man ist oft gerührt und galant, ohne
betrunken zu sein.

Ein andermal ein andrer Weg. – Ein berühmter Maler hat mich zu
Mittag geladen. Stolz auf ihn und meine silbervergoldete Dose, geh
ich durch eine einsame Straße und drehe mir vorher noch eben eine
Zigarette. Hinter mir kommt wer angeschlürft; er schlürft an mir vor=
bei. „Ja, Bedelleit, die hat koana gern; die mag neamed." Er spricht
es leise und bescheiden. Er schaut nicht seitwärts, er schaut nicht um;
er schlürft so weiter. Hände im schwärzlichgrauen Paletot; schwärz=
lichgrauer Hut im Nacken, Hose schwärzlichgrau, unten mit Fransen
dran; da, wo Hut und Paletotkragen ihre Winkel bilden, je ein Stück=
chen blasses Ohr zu sehn. Ein armer, farbloser Kerl. Schon zehn

Alter Mann aus Antwerpen

Mark vermutlich würden ihm recht sein. Freilich – der Schneider – die Fahrt ins Tirol – am End versäuft er's nur. – Macht nichts. Gib's ihm halt! – Inzwischen ist er weg ums Eck, für immer unerwischbar.

Schnell eine andere Tür. – Schau, schau! – Zwischen zwei Hügeln, mitten hindurch der Bach, das Dörflein meiner Kindheit. Vieles im scharfen Sonnenlicht früher Eindrücke; manches überschattet von mehr als vierzig vergangenen Jahren; einiges nur sichtbar durch den Lattenzaun des Selbsterlebten und des Hörensagens. Alles so heiter, als hätt' es damals nie geregnet.

Aber auch hier gibt's arme Leutchen. – Es ist noch die gute, alte Zeit, wo man den kranken Handwerksburschen über die Dorfgrenze schiebt und sanft in den Chausseegraben legt, damit er ungeniert sterben kann; obschon der unbemittelte Tote immerhin noch einen positiven Wert hat; unter anderm für den Fuhrmann, der ihn zur Anatomie bringt.

Im Dörflein seitab, hier hinter den trüben Fensterscheiben, da sitzt vielleicht das „Puckelriekchen". Sie spinnt und spinnt. Auf die Lebensfreuden hat sie verzichtet. Aber drei Tage nach ihrem Tode, da wenigstens möchte sie sich mal so ein recht gemütliches Fest bereiten, nämlich ein ehrliches Begräbnis mit heilen Gliedmaßen, im schwarzlackierten Sarge, auf dem heimatlichen Kirchhofe. Nach dem Professor, der die toten Leute kaputtschneidet, will sie nicht hin; und dann müßte sie sich ja auch so schämen vor den Herren Studenten, weil sie gar so klein und mager und bucklicht ist. Darum bettelt sie und sinnt und spinnt von früh bis spät. – O weh! Zu früh schneidet die Parze den Flachs- und Lebensfaden ab. Es hat nicht gelangt. Nun heißt es doch: „Hinein in die ungehobelte Kiste" und „Krischan, spann an". Und dort fährt er hin mit ihr in der frühen Dämmerung, und wer grad verreisen muß, der kann mit aufsitzen. (Das wäre was gewesen für Tante Malchen, die immer so gern per Gelegenheit fuhr!)

Der dort langsam und verdrießlich Holz sägt, das scheint der „Pariser" zu sein. „Eine kalte Winternacht" – so pflegt er auf Plattdeutsch zu sagen – „ein Grenzstein im freien Feld und eine Pulle voll Schluck, das müßte einen bequemen Tod abgeben." Oder: „Hätt ich nur erst eine Viertelstunde gehängt, mich dünkt, so wollt' ich gleich mit einem um die Wette hängen, der schon ein ganzes Jahr gehängt hat." Gegen die erste Manier schützt er Geldmangel vor, gegen die zweite den bedenklichen Anfang. Er zögert und zögert und muß sich zuletzt mit einem gewöhnlichen Tode begnügen, wie er grad vorkommt.

Hier im Hof, auf dem Steintritt vor der Tür, steht eine hübsche Frau. Sagen wir, Kreuzbänder an den Schuhen, Locken an den Schläfen, Schildpattkamm im Flechtennest. Ein fremder Betteljunge kommt durch die Pforte. Haare wie trockner Strohlehm; Hemd und Haut aus einem Topf gemalt; Hose geräumig, vermutlich das Geschenk eines mildtätigen Großvaters; Bettelsack mit scheinbar knolligem Inhalt; Stock einfach, zweckentsprechend. „Heut kriegst du nichts; wir haben selbst Arme genug." „So bra'r jöck de Düwel wat ower, dat je'r anne sticket!" Nach Abgabe dieses Segenswunsches entfernt er sich, um sein Sammelwerk anderweitig fortzusetzen. Nicht mit Erfolg. Hinter der Mauer hervor, bewehrt mit kurzem Spieß, tritt ihm unerwartet ein kleiner Mann entgegen, entledigt ihn, listig lächelnd, doch rücksichtslos, seiner Vorräte und zeigt ihm so dann, unter Zuhilfenahme der umgekehrten Waffe, durch stoßweise Andeutungen auf der Kehrseite, den richtigen Weg zum Dorfe hinaus.

Dieser Wachsame und Gewaltige ist der „alte Danne". – Da er körperlich und geistig zu schwach geworden, um Tagelöhner zu sein, so hat man ihm ein Amt verliehn, mit dem Titel „Bettelvogt", und als Zeichen seiner Würde den Speer, „dat Baddelspeit". Kraft dessen ist er Herzog und Schirmherr aller einheimischen Bettler. – Er ißt „reihrund". Er schläft nachts im Pferdestall, nachmittags, bei günstiger Witterung, im Baumgarten hinter dem Hause. – Und hier kann man am besten eine Eigentümlichkeit an ihm beobachten, welche hauptsächlich bei alten, unbemittelten Leuten vorzukommen scheint, die versäumt haben, sich eine neues Gebiß zu kaufen. – Atmet er ein – ein lautes Schnarchen; atmet er aus – ein leises Flöten. Erst dieser alte, faltige, grauborstige Mümmelmund, hübsch weit abgerundet nach innen gezogen, dann plötzlich bei hohlen Backen hübsch zugespitzt nach außen getrieben und nur ein ganz feins Löchlein drin. – Für den Naturforscher, selbst bei häufiger Wiederholung, ein interessantes Phänomen. – Leider geht der alte Danne nur noch kurze Zeit seinen Erholungen und Amtsgeschäften nach. Es kommt so ein gewisser schöner, ausdermaßen warmer Nachmittag. Zwei flachsköpfige Buben, sehr bewandert in Obstangelegenheiten, besuchen grad zufällig in einem schattigen Garten einen berühmten Sommerbirnenbaum, um eben mal nachzusehen, wie die Sachen da liegen. – Der alte Danne liegt darunter. – Speer im Arm; still, bleich, gradausgestreckt;

Waldinneres

die Augen starr nach oben in die vollen Birnen gerichtet; Mund offen; zwei Fliegen kriechen aus und ein. Der alte Danne ist tot. – Und schlau hat er's abgepaßt, denn der neue Kirchhof wird nächstens eingeweiht. Er kommt noch auf den alten und kann ruhig weiter liegen, ohne von später kommenden Schlafgästen gestört zu werden. – Eine geschmackvolle Garnitur von Brennesseln steht um sein Gab herum. –

Ja, mein guter, wohlsituierter und lebendiger Leser! So muß man überall bemerken, daß es Verdrießlichkeiten gibt in dieser Welt und daß überall gestorben wird. Du aber sei froh. Du stehst noch da, wie selbstverständlich, auf deiner angestammten Erde. Und wenn du dann dahinwandelst, umbraust von den ahnungsvollen Stürmen des Frühlings, und deine Seele schwillt mutig auf, als solltest du ewig leben; wenn dich der wonnige Sommer umblüht und die liebevollen Vöglein in allen Zweigen singen; wenn deine Hand im goldenen Herbst die wallenden Ähren streift; wenn zur hellglänzenden Winterzeit dein Fuß über blitzende Diamanten knistert – hoch über dir die segensreiche Sonne oder der unendliche Nachthimmel voll winkender Sterne – und doch, durch all die Herrlichkeit hindurch, allgegenwärtig, ein feiner, peinlicher Duft, ein leiser, zitternder Ton – und wenn du dann nicht so was wie ein heiliger Franziskus bist – sondern wenn du wohlgemut nach Hause gehst zum gutgekochten Abendschmaus und zwinkerst deiner reizenden Nachbarin zu und kannst schäkern und lustig sein, als ob sonst nichts los wäre, dann darf man dich wohl einen recht natürlichen und unbefangenen Humoristen nennen.

Fast wir alle sind welche. – Auch du, mein kleines, drolliges Hänschen, mit deinem Mums, deiner geschwollenen Backe, wie du mich anlächelst durch Tränen aus deinem dicken, blanken, schiefen Gesicht heraus, auch du bist einer; und wirst du vielleicht später mal gar ein Spaßvogel von Metier, der sich berufen fühlt, unsere ohnehin schon große Heiterkeit noch künstlich zu vermehren, so komm nur zu uns, guter Hans; wir werden dir gern unsere alten Anekdoten erzählen, denn du bist es wert.

„Ahem! – Wie war denn das Diner bei dem berühmten Maler?" so unterbrichst du mich, mein Wertester mit dem Doppelkinn. Nun! Kurz aber gut; Wein süperb; Schnepfen exquisit. – Doch ich sehe, du hast dich gelangweilt. Das beleidigt mich. Aber ich bin dir unverwüstlich gut. Ich werde sonstwie für dich sorgen; ich verweise dich auf den vielsagenden Ausspruch eines glaubwürdigen Blattes: „Il faut louer Busch pour ce qu'il a fait, et pour ce qu'il n'a pas fait."*) Wohlan, mein Freund! Wende deinen Blick von links nach rechts, und vor dir ausgebreitet liegt das gelobte Land aller guten Dinge, die ich nicht gemacht habe.

Liebst du herz- und sonnenwarme Prosa, lies Werther. – Suchst du unverwelklichen Scherz, der wohl dauern wird, solange noch eine sinnende Stirn über einem lachenden Mund sitzt, begleite den Ritter von der Mancha auf seinen ruhmreichen Fahrten. – Willst du in einem ganzen Spiegel sehn, nicht in einer Scherbe, wie Menschen jeder Sorte sich lieben, necken, raufen, bis jeder sein ordnungmäßiges Teil gekriegt, schlag Shakespeare auf. – Trägt du Verlangen nach entzückend mutiger Farbenlust, stelle dich vor das Flügelbild Peterpauls in der Scheldestadt und laß dich anglänzen von der jungfräulichen Mutter mit dem Kinde. – Oder sehnst du dich mehr nach den feierlichen Tönen einer durchleuchteten Dämmerung, besuch den heiligen Vater in seinem beneidenswerten Gefängnis und schau den Sebastian an. – Und ist dir auch das noch nicht hinreichend, so zieh meinetwegen an den Arno, wo eine gedeckte Brücke zwei wundersame Welten der Kunst verbindet.

Damit, denk ich, wirst du für acht Tage genug haben, und wärst du so genußfähig wie ein Londoner Schneidermeister auf Reisen.

*) *„Man muß Busch für das loben, was er gemacht hat, und für das, was er nicht gemacht hat."*

Inhalt des fünften Bandes

Für die Wiedergabe
der Zeichnungen und Gemälde
stellte das Wilhelm-Busch-Museum
die Vorlagen zur Verfügung,
die Typographie und den Einband
besorgte der Verlag.
Satz und Druck
durch die Süddeutsche Verlagsanstalt
und Druckerei in Ludwigsburg,

Printed in Germany.
1959